Gma Provence Gourmande

de *Christophe Pétra*

Conception graphique : Anne-Danielle Naname
Réalisation : Audrey Hette

Connectez-vous sur : **www.lamartiniere.fr**
© 2003 Aubanel, une marque des Éditions Minerva, Genève, Suisse.

Ma Provence Gourmande

de Christophe Pétra

80 recettes
au fil des saisons

Textes de **James Huet**
Photographies de **Laurent Giraudon**
Illustrations de **Bertrand Cure**

Aubanel

Je suis vraiment ravi de préfacer ce livre, parce que je considère Christophe comme mon fils spirituel. Parmi les centaines de jeunes qui sont passés chez Paul Bocuse, il est un de ceux qui m'ont le plus marqué. C'est pourquoi je continue à le suivre et à l'aider, quand je le peux. Sérieux, appliqué et ponctuel, je n'ai eu qu'à me féliciter de l'avoir engagé à Collonges. Il est resté chez nous près de quatre années en qualité de sous-chef et il a toujours été exemplaire. Derrière des fourneaux, il sait tout faire. Il est rapide, précis et très créatif. Christophe aime profondément ce métier qu'il a découvert très jeune. Je n'oublierai jamais le jour où il est venu spontanément me prêter main-forte. C'était chez lui, en Provence. Nous devions préparer notre célèbre soupe aux truffes. Son aide m'a été précieuse, car il y avait beaucoup de convives à servir. Je l'ai trouvé efficace et habile. Je lui ai alors promis que dès qu'il serait libre, il pourrait, s'il le voulait, travailler chez Monsieur Paul, à mes côtés. Ni lui ni moi n'avons eu à le regretter. Nous étions très complices. Cela dit, il est difficile de ne pas s'entendre avec Christophe qui est un garçon jovial, sincère et d'une grande générosité. Quand je séjourne quelques jours dans le Var, je lui rends toujours visite. L'occasion de partager une « gamelle », comme il dit. Un moment de plaisir et d'amitié que je ne manquerais pour rien au monde !

Roger Jaloux, Meilleur Ouvrier de France 1976
(Chef des cuisines chez Paul Bocuse à Collonges-au-Mont-d'Or, de 1976 à 2002)

Lorsque Christophe Pétra m'a demandé de signer la préface de ce livre, je n'ai pas hésité une seule seconde. Et pour une raison très simple. Parmi tous les jeunes que j'ai eu à mes côtés en cuisine, il est probablement celui qui aura le mieux su écouter et mettre à profit les conseils que je lui donnais. Il n'avait pas quinze ans quand je l'ai rencontré pour la première fois. C'était avant même son entrée à l'école hôtelière de Hyères. Il était très jeune, mais il aimait déjà ce métier. Il y a des signes qui ne trompent pas. J'ai immédiatement senti en lui cette envie d'apprendre. C'est pourquoi je l'ai orienté par la suite vers quelques très grands cuisiniers, au contact desquels il a beaucoup progressé pour devenir l'excellent chef que l'on sait. Personnellement, et durant les sept années où j'ai eu Christophe comme élève, il a toujours été très attentif et assidu. Septennat entrecoupé de séjours dans ces grandes maisons d'où il revenait toujours plus motivé. Je n'aime pas le mot « élève », car je ne suis le « prof » de personne ; seulement un professionnel soucieux de doter un jeune qui démarre, des moyens d'assouvir pleinement sa passion pour un métier exigeant et rigoureux. Et de ce seul point de vue, Christophe a su retenir la leçon et l'appliquer à la lettre.

Laurent Tarridec
(Restaurant Leï Mouscardins à Saint-Tropez)

Avant-propos

Recueil de recettes certes, cet ouvrage propose la découverte d'une autre Provence : celle de Christophe, natif de Cavalière, village où il a grandi et qu'il a dû quitter pour parfaire son art. Nourri de mille expériences, formé par les plus grands chefs de France, l'enfant du pays est aujourd'hui de retour à la maison. Et pour longtemps, jure-t-il ! Connaître et côtoyer le bonhomme, entendre son grand rire – aussi rafraîchissant qu'un « pastaga » en plein « cagnard » – et bien sûr, savourer son inimitable cuisine, sont de vrais bonheurs. De ceux dont l'existence ne nous gratifie que trop rarement. Inutile enfin d'essayer de vous narrer la partie de boules façon Pétra ; moins encore d'évoquer la « contrée » made in Cavalière, tout bonnement indescriptibles. Seule vraie certitude, l'inventive gastronomie que crée Christophe lui ressemble trait pour trait : authentique, généreuse, sincère et sans fard.

James HUET

QUE DE CHEMIN PARCOURU !

« La cuisine, c'est simple ! Si un plat est servi chaud, assaisonné et parfaitement cuit, on est sûr de ne pas se tromper. À condition bien sûr, que les produits utilisés soient de qualité et de fraîcheur irréprochables... » Raccourci lapidaire s'il en est, mais qui résume assez bien la philosophie culinaire de Christophe Pétra. Pragmatique, c'est sur le terrain – entendez derrière et au contact des fourneaux – qu'il a appris le métier : « Mon père avait un restaurant, La Galiote au Lavandou où j'aidais parfois en salle. À l'époque, s'il y avait une chose dont j'étais absolument certain, c'était de ne jamais faire ce métier-là. Moi, je voulais être menuisier. Tout a commencé, je crois, dans les jupons de ma grand-mère chez qui j'allais tous les jours. Mes parents, accaparés par leur métier, étaient très occupés et me confiaient souvent à elle. Cuisinière à la cantine de l'école municipale de Cavalière, elle m'aura – volontairement ou non – inoculé le virus de la cuisine ; le goût des bonnes choses, préparées avec soin. Ah ! les gnocchis de Mamie Jeanne ! » À douze ans, peu attiré par l'école où il ne brille que par ses absences répétées, le jeune Christophe n'a alors qu'une idée en tête : filer au Bosco, le restaurant de Marius Clair, un ancien prof du lycée hôtelier chez qui il fera ses premières armes. « Je ne remercierai jamais assez mes parents de m'avoir obtenu tous ces certificats médicaux, afin que je n'aille pas trop à l'école. Sinon, j'y serais peut-être encore ! » Pas de doute, l'adolescent d'alors n'avait guère envie d'essuyer ses fonds de culottes sur les bancs d'une classe, même bien chauffée !

Un long périple professionnel commence alors pour Christophe qui intègre bientôt l'école hôtelière de Hyères, non sans effectuer en parallèle des stages dans quelques très grandes maisons de la région : Les Roches à Aiguebelle et au prestigieux Moulin de Mougins de Roger Vergé, génial inventeur de la « cuisine du soleil » dont Christophe garde un souvenir ému : « Il m'a accueilli à plusieurs reprises chez lui. Pendant l'un de ces stages, j'étais commis, préposé aux cuissons et seul dans une petite cuisine annexe reliée aux fourneaux par une fenêtre unique. À travers cette minuscule lucarne, on « m'envoyait » carrés d'agneau, pigeons et canards que je devais cuire sans tarder. Une seule seconde d'inattention et je recevais viandes et volailles en pleine poire ! Inoubliable ! Comme ce jour où après un court séjour au Moulin, Monsieur Vergé m'a engagé de façon originale. J'avais à peine seize ans, mais ses mots résonnent encore dans ma tête : "Petit, m'a-t-il dit, la veille de ce que je croyais être mon dernier jour, les langoustes là, il faut leur tourner la queue ; ensuite, bien les serrer dans un journal humide, mettre un élastique autour et demain, tu verras, elles seront encore vivantes... Au fait, t'es embauché cet été ! " »

L'apprentissage de Christophe le mène ensuite à Cannes, au Gray d'Albion où officiait alors Jacques Chibois, aujourd'hui installé sur les hauteurs de Grasse. Puis, c'est à Paris, au célébrissime restaurant Ledoyen que le jeune cuisinier parfera un peu plus son art, avant de rentrer au pays et d'assister de nouveau Laurent Tarridec, à Aiguebelle : « Probablement le chef, aux côtés duquel j'aurai culinairement le plus appris. Un artiste, d'une époustouflante créativité. »

Promu chef de partie chez l'illustre Louis Outhier à La Napoule, Christophe passera deux années à peaufiner les différentes techniques de cuisson des viandes et des poissons qui exigent une précision sans faille. Après cette expérience ô combien enrichissante, il s'expatrie de nouveau et quitte sa belle Provence, le cœur léger cette fois. Car le jeu en vaut vraiment la chandelle. À tout juste vingt ans, Christophe, plus motivé que jamais, rejoint l'une des plus prestigieuses enseignes de la planète, animée par le chef français le plus connu dans le monde : Paul Bocuse. Durant trois ans, il sera sous-chef du maestro de Collonges qui lui inculquera les vertus cardinales du métier que sont rigueur, discipline, ponctualité et propreté. Sans oublier l'art de la gestion sans lequel toute entreprise est vouée à l'échec. « Un seul exemple, se souvient Christophe, les inventaires : ceux des frigos, deux fois par jour ou du matériel, chaque semaine. Le tri des poubelles pour vérifier si, malencontreusement, quelques couverts en argent ne s'étaient pas égarés ou si le vert d'un poireau n'avait pas été sottement jeté ! » Le leitmotiv de Monsieur Paul n'est pas compliqué : « Rien ne se jette, tout se transforme », merveilleux aphorisme bocusien dont Christophe Pétra a fait sa devise.

En 1995, retour définitif au bercail où il obtient aux Roches, son tout premier poste de chef de cuisine, succédant ainsi à son mentor, parti avec bonheur à la conquête de Saint-Tropez. Deux ans plus tard, mû par une irrésistible envie d'être enfin chez lui, Christophe décide de se jeter à l'eau. Au bord de la départementale 559, il ambitionne alors de ressusciter ce qui fut jadis un restaurant de saison, tombé depuis en désuétude. Pari insensé en lequel nul ne croit vraiment, hormis Christophe et son épouse : « Une personne au moins a cru en moi, s'empresse-t-il de préciser, René Coll. Sans lui, le projet n'aurait pas été possible. » L'homme, un vieil ami de la famille, possède une entreprise de matériel hôtelier et décide d'équiper le futur restaurant de Christophe en fourneaux, ustensiles de cuisine et mobilier de salle. De quoi démarrer ! Coup de tête, coup de folie mais surtout coup de cœur, le Sud ouvre ses portes le 3 juillet 1997. Date doublement inscrite dans la mémoire de Christophe. Ce jour-là, il devenait pour la première fois, papa. Chose étrange que la destinée. Alors que son épouse donnait vie à leur enfant, Christophe accueillait ses premiers hôtes pour dispenser son tout premier service « à la maison ». Aujourd'hui, les deux bébés ont grandi et se portent à merveille. Au printemps 2001, l'enseigne décrochait sa première étoile au Guide rouge, l'impitoyable bible gastronomique. Après quatre années à peine d'existence, une telle consécration eût pu exacerber l'ego du plus humble des hommes. C'eût été bien mal connaître Christophe qui s'est astreint au contraire à plus de vigilance et de rigueur. Préceptes reçus des plus grands professionnels et que des années de travail ont lentement forgés...

LA PROVENCE GOURMANDE
DE CHRISTOPHE PÉTRA

Provence : huit lettres célèbres dans le monde entier, trois courtes syllabes qui font rêver sous toutes les latitudes. Immortalisée sur la toile par Cézanne et Van Gogh ; magnifiée par le verbe de Mistral, Giono et Pagnol ; sublimée par Peter Mayle, la terre de Provence est véritablement bénie des dieux. Terre d'abondance aux ressources naturelles intarissables, elle jouit de surcroît d'un climat et d'un ensoleillement exceptionnels. Ses campagnes, gigantesque mosaïque de couleurs et de senteurs, forment un immense jardin potager, l'un des plus vastes de France. Vignobles, oliveraies et vergers s'étendent sur des milliers d'hectares. Dans l'arrière-pays, collines et garrigue regorgent d'herbes aromatiques, ingrédients incontournables de la cuisine provençale. La région est aussi le paradis des « ichtyophages », terme sibyllin pour désigner les inconditionnels du poisson. En Méditerranée, les « gibiers de mer » foisonnent et constituent les fondements d'une cuisine marine à nulle autre pareille. Cette diversité, cette richesse et cette profusion ont façonné l'art de vivre provençal. C'est cette Provence que Christophe Pétra aime par-dessus tout, cette terre nourricière qu'il chérit et dont il défend bec et ongles les traditions (culinaires d'abord, mais pas seulement !). Amoureux de son terroir, de son ciel, de son soleil, il vit en parfaite symbiose avec cette culture locale qu'il évoque avec passion. De la partie de cartes à celle de boules, des sorties en pointu à la « chasse » à la rastègue, du pastis religieusement siroté sous le figuier aux fines agapes entre « collègues », les coutumes ancestrales ont encore de beaux jours devant elles.

Mais ne nous méprenons surtout pas, si plaisir et farniente sont inscrits au menu du jour, une fois au piano, la partition n'est plus la même. En bon chef d'orchestre, le maestro ne tolère le moindre couac, la plus petite fausse note. Pour ce faire, rien n'est laissé au hasard. À commencer par le soin apporté dans

l'achat des produits « qu'on ne doit jamais se faire livrer, mais qu'il faut toujours aller chercher soi-même. Qualité oblige » ! Chaque matin, Christophe part donc en quête des produits qui composeront ses prochains « menus du jour ». Tel un orpailleur cherchant une pépite, il écume le marché de Sainte-Musse à Toulon, où fruits et légumes de saison sont de tout premier ordre. Il y déniche certains poissons comme le loup, pêché au large de Bandol, Hyères ou La Ciotat. Anchois et sardines viennent également de là. Mais le chef d'Aiguebelle reste un intégriste du produit local, très local même puisque citrons, mandarines, oranges et plantes aromatiques sont issus du jardin familial. De même que basilic, persil, sauge, estragon, verveine et citronnelle que les Pétra cultivent avec application. Tandis que romarin et laurier sont cueillis dans les collines de Cavalière, au détour desquelles on peut même encore chiner quelques asperges sauvages, le thym est ramassé plus au nord, dans le massif de la Sainte-Baume, autour de Saint-Maximin. « C'est ma grand-mère, raconte Christophe, qui se charge du thym. Elle le fait sécher en le retournant toutes les trois ou quatre heures. Une fois sec, il faut prélever la fleur et trier le tout que l'on met ensuite en bocaux. Un travail titanesque qu'elle

assume seule ! » Pour ses viandes, Christophe a entière confiance en
« l'autochtone ». Ainsi, son fournisseur n'est autre que son propre boucher,
Lavandourain lui aussi. Tout comme Michel Sevenier et Antoine Vitiello qui lui
réservent régulièrement leur pêche du jour. De savoureux poissons de roche
dont Christophe a besoin pour confectionner sa bouillabaisse. Sans oublier
chapons, daurades, rougets et autres rascasses. La langouste royale et surtout
le thon rouge – qu'il sert très fréquemment – sont également pêchés près des
côtes du Lavandou. Pour ce dernier, il s'agit même d'une véritable tradition. En
effet, la petite cité balnéaire est réputée pour les concours de pêche au thon
qu'elle organise chaque été. Christophe travaille bien d'autres produits du cru :
la Mona Lisa, la figue violette, quelques légumes bio également et les
excellents fromages de chèvre de la « ferme du Papet », route des Crêtes.
Malheureusement, et à son grand regret, les ingrédients qu'il aime apprêter, ne
portent pas tous l'estampille locale. Même s'ils ne viennent jamais de bien loin.
Ainsi, tomates, artichauts, aubergines, courgettes et fleurs, poivrons, salades et
fèves sont-ils fournis par de petits paysans de La Londe-les-Maures et de
Hyères. Christophe leur rend régulièrement visite et sélectionne le meilleur de

leur production. Le miel de bruyère, avec lequel il concocte ses exquises madeleines, est fabriqué par un vieil apiculteur de l'île du Levant. L'huile d'olive, élément de base de la cuisine méditerranéenne – que Christophe utilise en abondance dans ses préparations – est élaborée au fameux domaine du Plantier à Sainte-Maxime. Ses lapins sont originaires de la plaine du Gapeau ; l'agneau vient de Sisteron ; les pigeons, des Dombes ; la plupart des gibiers, d'Alsace ; les asperges violettes, du Tanneron et la truffe, du haut Var. À défaut d'être exhaustif, l'essentiel des produits que Christophe accommode en cuisine sont évoqués ici, ainsi que leurs différents lieux de provenance. À l'heure où le mot traçabilité hante tous les esprits, où les gages d'authenticité sont de plus en plus souvent exigés, l'exercice n'est pas vain. Comme il n'est pas superflu de souligner qu'un produit, même de grande qualité, ne sera jamais aussi bon que s'il est apprêté dans le respect de ses vertus naturelles et au meilleur moment de sa période de production. S'il est parfaitement cuit évidemment et si nul artifice n'est employé pour tenter de le travestir. « Jamais plus de deux à trois produits dans l'assiette, affirme Christophe, un poisson ou une viande, une garniture et une sauce, c'est tout ! » Un seul exemple : le pavé de biche qu'il vous suggère avec quelques châtaignes et une simple, mais goûteuse purée de céleri.

D'aucuns prétendent que l'art du dressage est l'apanage des grands cuisiniers qui signent le plus souvent un travail remarquable sur l'assiette. Christophe n'appartient assurément pas à cette école. De la décoration, il confesse n'en avoir cure, même si ses plats sont plus que « présentables » : « Je suis pour la sobriété. Farcir des petits pois n'est pas mon truc, ni ma culture ! Et puis, passer trop de temps sur une assiette, c'est risquer de la laisser partir froide. Sauf si vous disposez d'une brigade importante ou si des gens ne sont affectés qu'à ça. En d'autres termes, et en grossissant le trait, il faudrait prévoir un cuisinier ou presque par client. À terme, ce n'est ni viable ni rentable. Et puis, quand on sort de chez Paul Bocuse, on n'est pas, mais alors pas du tout, dans cet état d'esprit-là ! »

Sommaire

Recettes de printemps 20

Les entrées

Les plats

Les desserts

Recettes d'été 54

Recettes d'automne 96

Recettes d'hiver 124

Recettes de Printemps

Crème de basilic

Ingrédients
(pour 4 personnes)

- 60 g de feuilles de basilic
- 4 courgettes
- 3 dl de bouillon de volaille
- 1,5 dl crème
- Sel
- Poivre du moulin

Préparation

Laver les courgettes et les couper en rondelles. Les faire cuire dans le bouillon de volaille chaud pendant 15 minutes. Ajouter la crème et cuire encore 1 minute.

Verser le tout dans le bol du robot, incorporer les feuilles de basilic et mixer vivement.

Mettre la crème de basilic dans un saladier, lui-même placé dans une bassine pleine de glaçons. Assaisonner et servir froid.

Le basilic

Originaire de l'Inde, le basilic (lou balico en provençal) est la plante aromatique de prédilection de la cuisine méridionale. Si loin des rivages de la Méditerranée, on l'emploie effectivement peu, il est pourtant largement répandu dans les campagnes françaises. Certains l'utilisent pour ses vertus décoratives, d'autres pour son parfum, puissant chasse-mouches, assure-t-on. Il existe de multiples variétés de basilic — frisé, à feuille de laitue, anisé... — mais la plus connue appelée << grand vert >>, aux larges feuilles, est celle qui convient le mieux aux préparations culinaires, et bien souvent aux plus simples. En effet, qu'y a-t-il de meilleur qu'une salade de tomates arrosée d'un filet d'huile d'olive, d'un peu de vinaigre et additionnée d'ail et de basilic ? Un vrai bonheur ! Notre aromate se marie tout aussi divinement avec crudités et légumes ; avec des gibiers de mer comme loup, saumon, sardine, rouget, langoustines et autres crevettes. Aux côtés d'une pièce d'agneau ou d'une simple omelette, l'alliance est tout aussi parfaite. Sans oublier la succulente soupe au pistou dont le basilic reste l'un des principaux ingrédients. Petits conseils enfin, il faut toujours consommer le basilic frais, le ciseler au tout dernier moment et surtout éviter de le cuire trop longtemps. Ne le faites pas sécher non plus, il perdrait alors toute sa saveur. Pour qu'il garde ses arômes, certains vous diront de le laisser macérer dans un bocal rempli d'huile d'olive ou de vinaigre. Soit, mais l'hiver venu, il se peut que vous ne retrouviez que des feuilles noirâtres au goût incertain. Pour le redécouvrir intact quelques mois plus tard, le mieux est de le congeler durant l'été, soit haché, soit en cubes.

Ravioles de gambas

Ingrédients
(pour 4 personnes)

- 12 queues de gambas
- 65 g d'eau
- 11 g de saindoux
- 4 g de sel
- 150 g de farine
- 2 dl d'huile d'olive
- 2 tomates
- 50 cl de cognac
- 250 g de champignons
- 3 dl de fumet de poisson
- 1 dl de crème
- 50 g de beurre
- 1/2 oignon
- 2 gousses d'ail
- 1/2 branche de céleri
- Poivre du moulin

Préparation

Pour la pâte à raviole, faire bouillir l'eau avec le saindoux et le sel. Hors du feu, incorporer la farine et bien mélanger.

Ébouillanter les tomates, les peler, les épépiner et les couper en petits dés.

Éplucher les champignons et les couper en dés pour réaliser une brunoise. Éplucher l'oignon, la gousse d'ail, couper finement la branche de céleri.

Décortiquer les queues des gambas, les faire revenir dans la moitié de l'huile d'olive avec les carcasses. Ajouter tomates, oignon, ail, céleri, sel, poivre, puis déglacer avec le cognac et mouiller avec le fumet de poisson. Laisser cuire 20 minutes à feu doux, sans trop réduire.

Une fois la cuisson terminée, passer au chinois, puis ajouter la crème. Laisser réduire jusqu'à consistance et monter au beurre. Rectifier l'assaisonnement.

Couper les queues de gambas en petits dés. Les faire sauter dans l'huile d'olive restante en ajoutant les champignons.

Étaler la pâte à raviole très finement. Y déposer des petits tas de brunoise et recouvrir d'une fine couche de pâte. Découper des ravioles avec un emporte-pièce rond et cannelé.

Pocher les ravioles 4 minutes dans du fumet frémissant et les égoutter. Les dresser sur une assiette plate et napper avec la sauce.

Foie gras chaud en verdure de blettes

Ingrédients
(pour 4 personnes)

- 4 tranches de foie gras frais de 120 g chacune
- 4 blettes assez grosses
- 20 g de beurre
- 10 g de farine
- 1/2 citron
- 1 dl de jus de veau
- Sel
- Poivre du moulin

Préparation

Lever les feuilles des côtes de blettes et les faire blanchir quelques minutes à l'eau bouillante. Les rafraîchir dans une eau glacée, les égoutter et les faire sécher sur un linge propre.

Lever les fils des côtes à l'aide d'un couteau. Tailler les côtes en bâtonnets et les mettre dans une cocotte. Rajouter de l'eau à hauteur, le jus de citron et la farine préalablement délayée dans de l'eau. Cuire environ 10 minutes en prenant soin de garder les bâtonnets bien fermes. Les faire revenir à la poêle avec le beurre, puis incorporer le jus de veau et laisser mijoter sur le coin du feu.

Assaisonner les tranches de foie gras et les rouler dans les feuilles de blettes. Disposer les feuilles de blettes dans une assiette creuse et les recouvrir d'un film alimentaire. Déposer ensuite cette assiette dans un couscoussier et cuire à la vapeur environ 10 minutes.

Pour le dressage, mettre les bâtonnets dans une assiette, arroser de jus de veau, puis ajouter le foie gras dessus et un peu de la graisse du foie gras que vous aurez préalablement récupérée dans l'assiette creuse.

Jardinière d'asperges aux morilles

Ingrédients
(pour 4 personnes)

- 12 grosses asperges violettes
- 12 grosses asperges vertes
- 480 g de grosses morilles fraîches
- 5 dl de bouillon de volaille
- 1 dl de crème liquide
- 60 g de beurre

Préparation

Éplucher les queues des asperges vertes et violettes avec un économe. Laver et réserver les épluchures.

Attacher les asperges vertes avec de la ficelle de boucher pour former une botte. Faire de même avec les asperges violettes.

Faire bouillir de l'eau salée dans une cocotte et y cuire les asperges à découvert. Les piquer avec la pointe d'un couteau pour vérifier la cuisson. En principe, les asperges vertes cuisent plus rapidement que les violettes. Une fois cuites, les rafraîchir dans de l'eau froide, les égoutter et réserver à température dans un linge humide.

Faire chauffer le bouillon de volaille, y plonger les épluchures et faire bouillir durant 3 minutes. Laisser infuser 20 minutes, puis passer à l'étamine et réserver au chaud.

Délier les bottes d'asperges, couper des pointes de 8 centimètres et émincer en rondelles le reste de la partie la plus tendre des queues.

Laver et couper en deux les morilles. Les faire revenir dans le beurre, sans coloration. Incorporer l'infusion d'asperges, la crème fraîche et les asperges. Rectifier l'assaisonnement et servir dans une assiette creuse ou en cocotte.

Salade de gritte, bohémienne d'asperges sauvages

Ingrédients
(pour 4 personnes)

- 1 araignée de mer femelle (gritte)
- 50 g d'échalotes
- 30 g de persil plat
- 4 bottes d'asperges sauvages de 60 g
- 10 cl de sauce soja
- 0,5 dl d'huile de sésame

- 1 dl d'huile d'olive
- 1/2 citron
- Court-bouillon
- 1 cuillerée à café de vinaigre de Xérès
- Sel
- Poivre du moulin

Préparation

Ébouillanter la gritte 40 minutes avant dégustation.

Cuire la gritte pendant 15 minutes environ dans le court-bouillon à hauteur. Réserver les œufs situés sous le ventre ainsi que la chair se trouvant sur les pattes et le coffre.

Éplucher les échalotes et le persil puis les hacher.

Dans un saladier, mettre la chair de la gritte, les échalotes, le persil, le vinaigre de Xérès, 0,5 décilitre d'huile d'olive et assaisonner. Cuire au bain-marie.

Plonger les bottes d'asperges dans l'eau bouillante salée durant 2 minutes, puis les rafraîchir dans une eau glacée.

Couper les queues d'asperges finement et les mélanger aux œufs de la gritte. Écraser le tout à la fourchette en incorporant la sauce soja, l'huile d'olive restante, l'huile de sésame, le jus de citron, le sel et le poivre.

Disposer dans les assiettes la chair tiède de la gritte en formant un dôme. Ajouter dessus les pointes d'asperges et napper de vinaigrette tiède aux œufs de gritte.

Risotto de tomates aux olives noires

Ingrédients
(pour 4 personnes)

- 4 tomates
- 200 g d'olives noires
- 30 g d'ail
- 200 g d'oignons
- 1 bouquet de persil
- 400 g de riz rond

- 5 dl de bouillon de volaille
- 1 dl de vin blanc
- 1 dl d'huile d'olive
- 1 dl d'huile de basilic
- 5 cl de vinaigre balsamique
- 100 g de parmesan

Préparation

Plonger les tomates quelques minutes dans l'eau bouillante, enlever la peau, les épépiner et les couper en petits dés.

Éplucher l'ail et le hacher. Hacher le persil. Éplucher et hacher les oignons. En faire revenir 100 grammes dans une poêle avec un peu d'huile d'olive pendant quelques minutes, puis ajouter les tomates et cuire 3 minutes. Réserver au chaud.

Couper les olives en deux et les dénoyauter.

Dans une casserole, faire revenir 100 grammes d'oignons et l'ail sans coloration. Ajouter le riz et mélanger pendant 1 minute, afin de faire nacrer le riz. Déglacer avec le vin blanc et ajouter petit à petit le bouillon de volaille chaud. Cuire 12 minutes environ. Ajouter l'huile d'olive, le persil et le parmesan. Incorporer les olives et le concassé de tomates chaud au risotto.

Servir dans une assiette creuse et arroser d'un filet d'huile de basilic et de vinaigre balsamique.

Salade de pissenlits, fèves et petits pois crus

Ingrédients
(pour 4 personnes)

- 400 g de pissenlits blancs
- 1,2 kg de petites fèves
- 800 g de petits pois écossés
- 200 g de lardons
- 100 g de pignons
- 80 cl d'huile d'olive
- 10 g de moutarde

- 5 cl de vinaigre de Xérès
- 25 cl de jus de rôti de veau ou 25 cl de fond de veau non lié
- Sel
- Poivre du moulin

Préparation

Faire réduire à l'état de sirop le jus de rôti de veau, puis ajouter le vinaigre, la moutarde, l'huile d'olive et assaisonner. Remuer légèrement afin d'éviter que la vinaigrette n'épaississe.

Laver et égoutter les pissenlits. Les mettre dans un grand saladier en verre avec les fèves (si elles sont grosses, ôter la première peau) et les petits pois (s'ils sont gros, ôter la peau en les ébouillantant une seconde).

Tailler finement les lardons, les faire blanchir quelques minutes à l'eau bouillante et les faire revenir à la poêle jusqu'à ce qu'ils soient caramélisés. Colorer les pignons quelques minutes dans une poêle (sans matière grasse).

Ajouter les lardons, les pignons et la vinaigrette dans le saladier. Passer le tout au four à 180 °C pendant 1 minute. Dresser un peu de salade dans chaque assiette.

31

L'ail

L'ail figure sans conteste parmi les trois ou quatre ingrédients pilotes de la cuisine provençale. S'il est couramment utilisé dans le bassin méditerranéen (comme dans le célèbre aïoli dont il constitue l'élément de base), il doit toujours être soigneusement dosé. Prudence liée aux puissants effluves que développe cette plante potagère au goût si particulier. Ni herbe ni épice, l'ail est en fait un condiment qu'affectionnent particulièrement les cuisiniers. Jadis, l'été venu, les Provençaux se précipitaient sur leur marché pour acheter l'ail nouveau et l'entreposer au fond du grenier ou dans la cuisine, en prévision de l'hiver.

« Réserves d'aulx » devenues inutiles aujourd'hui, depuis que l'ail a envahi les étals de nos marchands de primeurs qui en proposent désormais toute l'année. Il existe deux grandes variétés d'ail : le blanc que l'on récolte dès la fin du mois de mai et le rouge ou « ail rose », planté au printemps (car très gélif) et arraché en juillet. En cuisine, les chefs emploient souvent l'ail rouge, moins agressif et plus parfumé que l'ail blanc, lequel en revanche est beaucoup plus facile à éplucher. Cru, l'ail peut être haché, pilé ou simplement frotté sur un quignon de pain. Cuit longuement, il s'adoucit pour devenir presque suave. On peut aussi le faire bouillir dans l'eau, rarement dans l'huile. D'autre part, il est déconseillé de le rissoler, trop longtemps en tout cas, car il apporterait aigreur et âcreté à votre mets. Piqué dans une viande qui, dès lors devra subir une cuisson prolongée, l'ail révèle toute sa richesse aromatique. Évitez surtout de l'incorporer dans une viande saignante où il resterait complètement cru. Sachez également que l'ail s'utilise bien sec. Toutefois, et si son « caïeu » (le bourgeon secondaire) n'est pas dur, attendre avant tout emploi. Enfin, et pour une meilleure conservation, il faut stocker l'ail dans un local à la fois tempéré, sec et bien ventilé.

Soupe au pistou

Ingrédients
(pour 4 personnes)

- 2 pieds d'agneau coupés en deux
- 150 g de talon de jambon
- 2 carottes
- 1 gros navet rond
- 100 g de haricots verts
- 300 g de haricots cocos
- 300 g de petits pois
- 4 tomates
- 1 oignon
- 6 gousses d'ail
- 150 g de macaronis
- 20 feuilles de basilic
- 3 dl d'huile d'olive
- Sel
- Poivre du moulin

Préparation

Éplucher les carottes et le navet et les tailler en cubes de 1/2 centimètre. Équeuter les haricots verts et les couper en bâtonnets de 3 centimètres. Écosser les haricots cocos et les petits pois. Éplucher l'oignon et le hacher. Éplucher l'ail et l'égermer.

Couper le talon de jambon en dés. Faire blanchir les pieds d'agneau 5 minutes dans l'eau bouillante.

Ébouillanter les tomates quelques minutes, enlever peau et pépins, puis les couper en quatre. Faire blanchir les macaronis à l'eau bouillante puis les rafraîchir.

Pour le pistou, mixer les feuilles de basilic avec 2 gousses d'ail et 1 décilitre d'huile d'olive. Réserver.

Dans une grosse cocotte, faire chauffer l'huile d'olive restante et faire revenir l'oignon, l'ail et les dés de jambon sans coloration. Ajouter les cubes de carotte et de navet et cuire pendant 3 minutes. Incorporer les pieds d'agneau, les haricots cocos et les tomates. Recouvrir avec 8 centimètres d'eau au-dessus de la hauteur des légumes et cuire pendant 20 minutes. Ajouter ensuite les macaronis et poursuivre la cuisson durant 6 minutes. Pour terminer, ajouter les petits pois, les haricots verts, saler, poivrer et cuire encore 10 minutes.

Verser dans une soupière et ajouter le pistou.

Jarret de veau luté à l'ail nouveau

Ingrédients
(pour 4 personnes)

- 1 jarret de veau sur os de 1,3 kg, ficelé
- 4 têtes d'ail nouveau
- 50 g de concentré de tomates
- 2 dl de vin blanc
- 1 branche de thym

- 1 l de fond de veau
- 300 g de farine
- 100 g de gros sel
- 50 g de beurre
- 1 dl d'huile d'olive
- Sel
- Poivre du moulin

Préparation

Dans une cocotte, faire revenir à l'huile d'olive le jarret de veau sur toutes ses faces, jusqu'à coloration. Assaisonner et ajouter les parures autour. Éplucher l'ail.

Une fois le tout coloré, retirer le surplus de gras et déglacer avec le concentré de tomates mélangé au vin blanc.

Faire réduire à feu doux de moitié et ajouter l'ail, le thym et le fond de veau. Porter à ébullition et laisser reposer la cocotte 4 heures environ.

Dans un saladier, mélanger la farine et le gros sel. Incorporer de l'eau froide de façon à obtenir une consistance pâteuse. Réaliser ensuite un boudin et le disposer sur les bords du couvercle de la cocotte froide. Cuire au four à 160 °C durant 30 minutes, puis augmenter la température à 200 °C durant 5 minutes. Ensuite, éteindre le four et y laisser la cocotte pendant 5 heures.

Avec la pointe d'un couteau, soulever délicatement le couvercle de la cocotte. Retirer le jarret, enlever la ficelle et sortir l'ail.

Faire réduire le jus de cuisson et retirer les parures. Passer le jus à l'étamine et le monter au beurre. Une fois le jus épaissi, remettre le jarret et l'ail dans la cocotte, assaisonner et napper de sauce. Remettre le couvercle.

Filets de rougets à la coriandre

Ingrédients
(pour 4 personnes)

- 2 rougets de 800 g pièce
- 50 g de coriandre en graine
- 100 g d'ail
- 300 g d'oignons
- 2 kg de tomates

- 400 g de pâtes fraîches
- 2 courgettes
- 100 g de petits pois
- 2 cuillerées de crème
- Gruyère râpé

- Thym
- Laurier
- Huile d'olive
- Sel
- Poivre du moulin

Préparation

Faire lever par le poissonnier les filets de rouget. Les couper en 2 ou 3 morceaux. Les poser sur la plaque du four préalablement beurrée et les enfourner environ 4 minutes à 220 °C.

Éplucher et hacher ail et oignons. Hacher finement les graines de coriandre.

Laver les courgettes et les couper en fines lanières. Écosser les petits pois et les blanchir 30 secondes dans une eau bouillante salée. Ébouillanter les tomates, les peler, les épépiner et les couper en petits dés.

Faire revenir sans coloration ail et oignons, ajouter les tomates, un filet d'huile d'olive, la coriandre, le thym et le laurier. Cuire environ 30 minutes à feu doux, puis mixer le tout et ajouter la crème.

Cuire les pâtes, ajouter les courgettes, les petits pois et un peu de gruyère.

Dresser les pâtes sur un plat, napper de sauce et déposer les filets de rouget sur le dessus.

Marinière de vive au safran

Ingrédients
(pour 4 personnes)

- 8 filets de vive
- 2 g de safran en poudre
- 400 g de haricots cocos
- 2 tomates
- 1 poivron rouge
- 2 cébettes
- 2 gousses d'ail

- 1/2 l de fumet de poisson
- 1/2 l de bouillon de volaille
- 6 feuilles de basilic
- 1 dl d'huile d'olive
- Sel
- Poivre du moulin

Préparation

Demander au poissonnier de désarêter les filets de vive. Les faire mariner dans un plat avec un peu d'eau et le safran pendant 1 heure en les retournant toutes les 15 minutes.

Écosser les haricots cocos, les mettre dans une casserole, les recouvrir d'eau et faire bouillir 15 minutes avant de les rafraîchir.

Égoutter les filets de vive et les sécher sur un papier essuie-tout. Les assaisonner et les poêler côté peau avec un peu d'huile d'olive jusqu'à coloration.

Ciseler les cébettes en biseaux (très fins). Éplucher l'ail et l'émincer finement.

Ébouillanter les tomates, les éplucher, les épépiner et les couper en quatre. Faire noircir le poivron sur toutes ses faces sur la flamme de la cuisinière, le rafraîchir à l'eau froide, l'éplucher, l'épépiner et le couper en petits dés. Hacher grossièrement les feuilles de basilic.

Faire revenir dans une cocotte avec un peu d'huile d'olive, les cébettes et l'ail sans coloration. Ajouter les cocos, les tomates, le poivron, puis mouiller avec le fumet de poisson et le bouillon de volaille à hauteur. Cuire environ 30 minutes et ajouter le basilic en fin de cuisson. Réserver au chaud.

Disposer la marinière de cocos dans un plat à gratin et poser par-dessus les filets de vive retournés. Servir chaud à température.

Pageot au four façon ménagère

Ingrédients
(pour 4 personnes)

- 1 pageot de 1,2 kg
- 4 cébettes
- 4 tomates
- 6 artichauts violets du Var
- 100 g d'olives noires pichoulines dénoyautées
- 6 gousses d'ail
- 4 dl de vin blanc
- 2 dl d'huile d'olive
- 2 dl d'eau
- 1 citron
- 5 g de poivre de Séchouan
- Sel

Préparation

Faire écailler, vider et ébarber le pageot par le poissonnier.

Éplucher les gousses d'ail, les égermer et les faire blanchir quelques minutes dans une eau bouillante.

Ébouillanter les tomates quelques instants, les peler et les épépiner.

Effeuiller les artichauts, enlever le foin, couper les cœurs en quatre et les réserver dans une eau froide légèrement citronnée. Mixer les cébettes avec 1 décilitre d'huile d'olive.

Faire une incision dans le poisson sur toute sa longueur, au centre et en profondeur jusqu'à l'arête. Disposer la purée de cébettes dans l'incision.

Placer le poisson dans un plat allant au four, ajouter les tomates, les artichauts, les olives et l'ail autour, le vin blanc, le reste d'huile d'olive et l'eau. Saler et poivrer. Cuire au four à 180 °C pendant 3 minutes et finir la cuisson à 150 °C pendant 10 minutes. Servir dans le plat de cuisson.

L'artichaut violet

L'artichaut violet possède un cœur tendre, très goûteux et présente une saveur mêlée de poivre et de sucre. Il faut l'acheter en bouquet sur le marché. Il doit être frais, avoir une tige ferme, sans taches, et des feuilles craquantes. Si vous souhaitez conserver vos artichauts, vous pouvez les garder deux ou trois jours à température ambiante, en trempant les tiges dans l'eau. Ultime conseil : frottez-les avec du citron pour éviter qu'ils ne noircissent.

Rougets en meunière de betterave

Ingrédients
(pour 4 personnes)

- 4 rougets de 350 g pièce
- 3 betteraves cuites
- 1 cuillerée à soupe de câpres
- 2 bottes de persil haché
- 1 cuillerée à café de vinaigre de Xérès
- 150 g de beurre

Préparation

Écailler et lever les rougets en filets.

Éplucher les betteraves et les tailler en julienne. Mixer les épluchures pour réaliser un coulis. Faire chauffer la julienne avec le persil et le vinaigre de Xérès pendant 4 minutes environ. Cuire les rougets côté peau pendant quelques minutes.

Réaliser le beurre meunière de betterave en faisant fondre le beurre et en ajoutant les câpres, le persil haché et le coulis de betterave. Mélanger légèrement.

Dresser la julienne au centre de l'assiette, déposer les rougets dessus et napper l'assiette avec le beurre en meunière de betterave.

Le rouget

Le plus recherché de tous les rougets est le fameux « surmulet » ou rouget de roche que l'on pêche idéalement de juin à octobre. Baptisé « bécasse de mer », le rouget se cuisine le plus souvent poêlé ou grillé (dans ce dernier cas, il est ni écaillé, ni vidé car tout se mange, même le foie qui est excellent). Mais il est tout aussi délicieux en pissaladière — tarte

composée de pâte à pain garnie d'olives noires, d'oignons et de filets d'anchois – que mariné à l'anis sauvage et escorté par quelques sardines. Farci et cuit à l'âtre ou élaboré avec une crème d'oursins, il est également succulent. Autre rouget, voisin du précédent mais à l'écaille plus claire, le rouget barbet, ainsi baptisé pour les petits barbillons qu'il arbore sous

le menton. On le cuisine souvent avec du fenouil, compagnon idéal de presque tous les rougets. On peut le poêler en filets (côté peau), le passer quelques minutes au four avec un peu de tapenade ou même l'apprêter à la poutargue, le « caviar de la Méditerranée » à base d'oeufs de mulet. Enfin, le rouget grondin nommé galinette en Provence, ne peut se confondre avec les autres rougets dont il ne partage que le nom, et à tort de surcroît. Il est en effet beaucoup plus gros qu'eux, bien moins goûteux et tout juste bon pour la marmite, sûrement pas pour le gril. On le sert fréquemment avec ratatouille et tapenade. Enfin, quelques précautions sont à prendre lors de l'achat de vos rougets qui doivent présenter une fraîcheur irréprochable. Pour ce faire, vérifiez que leur chair soit bien ferme, leurs yeux brillants et leurs ouïes très rouges. Si vous devez les conserver 24 heures (mais pas plus !), enveloppez les filets dans du papier d'aluminium et veillez à les placer dans l'endroit le plus froid de votre réfrigérateur.

Saint-Pierre poché aux morilles et carottes

Ingrédients
(pour 4 personnes)

- 4 petits filets de Saint-Pierre d'environ 400 g pièce
- 200 g de morilles fraîches
- 20 petites carottes fanes
- 12 oignons grelots
- Beurre
- 0,5 dl de bouillon de volaille
- 1 dl d'huile d'olive
- Sel
- Poivre du moulin

Préparation

Demander au poissonnier de lever les filets de Saint-Pierre, de prélever et de bien nettoyer les arêtes.

Éplucher et gratter les carottes en conservant 3 centimètres de fanes. Mettre à tremper dans un saladier le reste des fanes. Éplucher les oignons. Couper les morilles en deux et les laver soigneusement (au moins trois fois).

Dans un sautoir, faire revenir dans un peu de beurre, les oignons sans coloration. Ajouter ensuite les carottes, les arêtes du Saint-Pierre et assaisonner. Mouiller à hauteur avec le bouillon de volaille, puis cuire à couvert pendant 15 minutes. Une fois la cuisson terminée, laisser infuser 10 minutes.

Retirer les carottes et les oignons du sautoir. Passer le jus de cuisson à l'étamine. Le napper sur les carottes et les oignons. Ajouter les morilles, assaisonner et cuire à couvert 8 minutes en mélangeant délicatement le tout.

Saler et poivrer les filets de Saint-Pierre et les mettre dans le sautoir avec carottes, morilles et oignons. Cuire environ 2 minutes à feu doux en arrosant sans cesse les filets avec le jus de cuisson.

Laver et essorer les fanes, les assaisonner avec huile d'olive, sel et poivre.

Dresser les carottes, les morilles et les oignons dans une assiette ; déposer par-dessus le filet de Saint-Pierre et ajouter la salade de fanes. Napper l'assiette de jus de cuisson.

Noix de Saint-Jacques aux truffes

Ingrédients
(pour 4 personnes)

- 24 noix de Saint-Jacques
- 30 g de truffes hachées
- 40 g de céleri boule
- 160 g de crème fleurette
- 8 cuillerées à soupe de porto
- 8 cuillerées à soupe de jus de truffe
- 600 g de fond de veau
- 250 g de beurre
- Huile d'olive
- Sel
- Poivre du moulin

Pour les pommes Maxim's
- 400 g de pommes de terre
- 240 g de beurre

Préparation

Émincer le céleri boule, le cuire dans la crème fleurette et l'écraser à la fourchette. Saler et poivrer.

Poêler les noix de Saint-Jacques dans une poêle antiadhésive avec un peu d'huile d'olive.

Faire suer les truffes avec un peu de beurre. Déglacer avec le porto et laisser réduire de moitié. Ajouter le jus de truffe, laisser à nouveau réduire de moitié, puis incorporer le fond de veau. Faire bouillir et monter au beurre hors feu. Rectifier l'assaisonnement.

Éplucher les pommes de terre et les tailler en forme de cylindre. Les passer à la mandoline de façon à obtenir de fines lamelles. Les déposer dans un moule à dariole et constituer une fleur en forme de rosace. Cuire au beurre clarifié (beurre fondu au bain-marie, écumé et dont on récupère le petit lait).

Mettre la purée de céleri au centre de l'assiette, une pomme Maxim's dessus et les noix de Saint-Jacques autour. Napper avec la sauce.

Les fromages de chèvre fermiers du Var

Le chèvre est le plus ancien de tous les fromages, dont on retrouve trace quelque huit siècles avant J.-C. A cette époque, la chèvre errait dans la garrigue et était déjà fort appréciée pour sa viande et surtout son lait. En Provence, et dans le Var notamment, sont fabriqués une multitude de fromages de chèvre. Le chèvre fermier frais est issu d'un lait filtré, ensemencé de ferment lactique et caillé par adjonction de présure naturelle. Vingt-quatre heures plus tard (souvent moins), il perd son petit lait avant d'être démoulé et salé. Frais, aromatisé aux fines herbes par exemple, on le dégustera avec une salade ou quelques fruits rouges. Vieilli au hâloir (cave d'affinage), le même fromage perdra environ la moitié de son poids et présentera moins d'onctuosité, mais un goût plus fort et plus parfumé qu'un chèvre frais. A cet égard, le chèvre est l'un des seuls fromages que l'on puisse savourer à tous les stades de sa maturation ; qu'il soit frais, sec, demi-sec, voire très sec. Typiquement provençal, le chèvre à l'huile d'olive, souvent additionné de quelques herbes, est un délice. Très prisée également, la tome de chèvre, élaborée en quelques minutes seulement à partir d'un lait caillé à chaud, immédiatement après la traite, puis brassée et mise à presser dans un moule rond. Deux à trois mois sont nécessaires pour l'affiner. Côté conservation, maintenez votre fromage au froid — dans un bac à légumes ou à la cave —, soigneusement enveloppé dans son emballage d'origine, dans du papier d'aluminium ou un linge sec. On pourra ainsi le garder deux à trois semaines environ. Enfin, apprenez qu'une couleur ivoire prononcée indique un degré d'affinage assez avancé de votre fromage.

Selle d'agneau en croûte d'épices, pommes boulangères au safran

Ingrédients
(pour 4 personnes)

- 1 selle d'agneau de 1,2 kg
- 10 g de cumin en poudre
- 10 g de curcuma
- 10 g de paprika
- 5 g de curry
- 5 g de cannelle
- 600 g de pommes de terre
- 2 g de safran
- 100 g d'oignons
- 1 branche de thym
- 0,5 dl de bouillon de volaille
- 100 g de chapelure
- 1 dl d'huile d'olive
- 50 g de beurre
- Sel
- Poivre du moulin

Préparation

Préparer les pommes boulangères 2 heures à l'avance : éplucher les oignons, les hacher et les faire revenir dans un peu d'huile d'olive sans coloration. Éplucher les pommes de terre et les couper en tranches très fines.

Beurrer un plat à gratin, puis disposer une couche d'oignons et les pommes de terre. Bien tapisser pour obtenir au maximum 1 centimètre de hauteur. Ajouter le bouillon de volaille mélangé au safran et la branche de thym. Recouvrir le plat d'un papier aluminium. Cuire au four à 170 °C pendant 40 minutes et réserver au chaud.

Dans un plat à rôtir, disposer la selle d'agneau, saler, poivrer et arroser d'huile d'olive.

Cuire au four à 200 °C durant 15 minutes. Laisser reposer 10 minutes et désosser les deux filets.

Mélanger chapelure, paprika, cumin, curcuma, cannelle et curry et en recouvrir les filets. Passer au four à 180 °C durant 3 minutes, puis émincer l'agneau et le disposer sur les pommes boulangères en l'arrosant d'huile d'olive.

Servir tiède en entrée ou chaud en plat de résistance.

« Célébrer l'agneau Pascal »

De tous les produits printaniers, on dit souvent que l'agneau est peut-être celui qui incarne le mieux le renouveau de la saison. Et par là même, celui de la table. Il n'est d'ailleurs de Pâques sans la célébration du fameux agneau pascal. Notamment en Provence, où « manger la Pâques » est une tradition millénaire. Pendant des siècles, la race ovine constitua l'essentiel de l'alimentation carnée des Provençaux, dont elle rythmera l'existence. Au gré des transhumances, hivernales et estivales, de la tonte ou des agnelages – la mise bas des brebis –, bergers et villageois festoieront en sacrifiant le docile animal aux rites de l'équinoxe de printemps. En Provence, la côtelette d'agneau fut longtemps considérée comme une des plus nobles pièces de l'étal; de celles que l'on sert aux amis, certes pour faire bombance, mais davantage encore pour honorer leur présence...

Dans la région, l'élevage ovin se concentre principalement sur deux départements: les Alpes-de-Haute-Provence et la partie nord des Bouches-du-Rhône, sur les sols pauvres des Alpilles et des plaines de la Crau. C'est sur ces terres arides, nourris au lait de leur mère puis au thym, au romarin et à la fleur de lavande, que les meilleurs moutons de Provence s'épanouiront Si l'agneau se consomme surtout au printemps, sa viande est appréciée à toutes les saisons. On peut effectivement trouver de l'agneau toute l'année chez nos bouchers, mais il faut savoir que selon les époques, il s'agira forcément d'animaux d'âges différents. L'agneau de lait, non sevré, abattu entre 30 et 40 jours – de la mi-février à avril – ouvre la saison. Son poids se situe alors autour de dix kilos et sa chair, un peu fade, doit être relevée et surtout cuite à point La découpe de l'agneau de lait est assez particulière. On peut le laisser entier et le destiner à la broche; le couper en deux, puis en quarts (avant et arrière) ou encore le séparer transversalement pour obtenir les deux gigots, la selle... On peut bien sûr le débiter en morceaux : carré, selle, gigot et épaule. D'avril à fin juin, on trouvera l'agneau blanc ou laiton, animal de 3 à 5 mois, à la chair rose, bien supérieure en saveur à l'agneau de lait et exigeant une cuisson presque à point Le début de l'été marque l'arrivée de l'agneau gris, âgé de 6 mois à un an, nourri principalement d'herbe. Sa chair rouge offre une belle viande semi-saignante. L'automne venu, la viande rouge des agneaux antenais – dans leur seconde année – se savourera uniquement saignante. Dès 18 mois, l'agneau devient mouton, sa chair est alors excellente et se servira également bien saignante, mais jamais bleue surtout

En matière de cuisson, deux grandes méthodes : le four ou la broche. Au four, cuire un gigot ou une épaule prendra une heure environ (température: 190-200 °C). Pour un gigot, achetez un agneau de bonne race (le pré-salé est

le meilleur), d'au moins trois kilos.
Visuellement, la viande doit être d'un
beau rouge vif et sa graisse bien
blanche. Agrémenté d'agarics, de beurre
et d'ail, votre gigot sera parfait. S'il en
reste, dégustez-le froid, le lendemain.
La cuisson à la broche donne
gustativement le meilleur résultat. Elle
exigera près de deux heures de labeur,
durant lesquelles il faudra régulièrement
arroser la viande, d'une bonne huile
d'olive par exemple. On peut aussi y
ajouter de la sarriette ou frotter la
pièce avec du thym ou du romarin.
Votre agneau est cuit quand, après avoir
piqué le haut de la cuisse, le jus qui s'en
échappe est quasi incolore. S'il est rose,

la cuisson n'est pas terminée. Côté
garniture, l'agneau a ses légumes de
prédilection : pommes de terre nouvelles
rissolées, épinards en branches, tian de
courgettes, mais aussi champignons de
Paris, lactaires, fèves fraîches, petits
pois, haricots verts fins ou blettes.
Le tout accompagné – selon votre
recette – de quelques herbes fraîches :
basilic, persil plat, estragon ou ciboulette.
Pieds et paquets à la marseillaise
(composés de panse et pieds de mouton) ;
navarin printanier (épaule de mouton à
l'étouffée) ; carbonade provençale
(tranches de gigot) ; blanquette d'agneau ;
civet, daube et langues de mouton, agneau
de lait farci, les manières d'apprêter
l'animal foisonnent.

Petits pots au chocolat

Ingrédients
(pour 4 personnes)

- 125 g de chocolat dessert
- 1 gousse de vanille
- 1/2 l de lait
- 125 g de sucre semoule
- 7 jaunes d'œufs
- 1 cuillerée à café d'extrait de café
- 5 cl d'eau

Préparation

Fendre la gousse de vanille en deux. La faire chauffer dans le lait jusqu'à ébullition.

Faire fondre le chocolat au bain-marie.

Préparer un sirop en mélangeant 5 centilitres d'eau avec le sucre et porter à ébullition. Dès que le sirop bout, retirer du feu, incorporer le chocolat fondu et verser le tout dans le mélange lait-vanille. Incorporer ensuite les jaunes d'œufs un à un, puis l'extrait de café. Bien mélanger.

Verser dans des ramequins et cuire au bain-marie au four chaud à 150 °C 15 minutes environ.

Sorbet au citron vert et basilic

Ingrédients
(pour 4 personnes)

- 1 dl de jus de citron vert
- 8 feuilles de basilic
- 125 g de sucre semoule
- 1,5 dl d'eau
- Le zeste d'1/2 orange
- 1/2 pomme verte granny-smith

Préparation

Éplucher la pomme et la couper en petits morceaux dans une casserole. Mélanger le sucre, l'eau, le zeste d'orange et les morceaux de pomme. Faire bouillir l'ensemble 1 minute, puis retirer du feu et ajouter 3 feuilles de basilic haché. Laisser infuser 12 heures à couvert. Une fois infusé, filtrer et ajouter le jus de citron.

Verser dans une sorbetière et 2 minutes avant que le sorbet ne soit prêt, ajouter les 5 autres feuilles de basilic haché.

Soupe de cerises au basilic

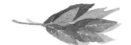

Ingrédients
(pour 4 personnes)

- 800 g de cerises
- 30 g de feuilles de basilic
- 8 dl d'eau
- 300 g de sucre semoule
- 10 g de poivre concassé

Préparation

Pour le sirop : dénoyauter les cerises (conserver les noyaux). Porter à ébullition le sucre dans 8 décilitres d'eau. Ajouter les feuilles de basilic et les noyaux de cerises et laisser infuser pendant 40 minutes. Passer le sirop à l'étamine et faire de nouveau bouillir.

Dans un petit morceau de tissu, mettre le poivre concassé et bien le ficeler. Le placer au centre d'un saladier. Ajouter les cerises dénoyautées. Arroser de sirop chaud et laisser cuire jusqu'à complet refroidissement.

Servir à température, éventuellement accompagné d'un sorbet aux fruits rouges.

Recettes d'Été

Goujonnettes de sole lardée aux anchois

Ingrédients
(pour 4 personnes)

- 8 filets de sole
- 80 g de poitrine demi-sel
- 8 filets d'anchois à l'huile
- 3 tomates
- 60 g d'olives niçoises
- 1/2 oignon

- 6 feuilles de basilic
- 300 g de pommes de terre
- 140 g de beurre
- Huile d'olive
- Sel
- Poivre du moulin

Préparation

Ébouillanter les tomates quelques minutes, enlever la peau, les épépiner et les couper en petits dés.

Dénoyauter les olives. Éplucher et hacher l'oignon. Émincer le basilic.

Éplucher les pommes de terre et les cuire à la vapeur. Réserver au chaud. Couper la poitrine demi-sel en lardons, les faire blanchir et rafraîchir.

Étaler un à un les filets de sole. Les inciser sur toute la longueur et les taper avec la lame d'un couteau pour les aplatir. Les poivrer et les rouler en spirale. À l'aide d'une petite aiguille à larder, rentrer en travers du rouleau des bâtonnets d'anchois sur toute l'épaisseur. Réserver au frais.

Dans un sautoir, faire revenir l'oignon sans coloration avec un peu d'huile d'olive. Incorporer les dés de tomates et cuire 1 minute. Ajouter les olives et le basilic. Maintenir au chaud.

Faire fondre 100 grammes de beurre dans un sautoir et faire revenir les pommes vapeur et la poitrine demi-sel. Dès coloration, écraser légèrement avec une fourchette. Réserver au chaud.

Dans une poêle, chauffer 40 grammes de beurre et faire revenir les soles de chaque côté pendant 8 minutes en les recouvrant.

Au centre de chaque assiette, dresser la purée au lard, la rosace de sole aux anchois par-dessus et la concassée de tomates aux olives autour.

L'anchois

Au Moyen Âge, époque où le sel était une denrée rare et coûteuse, on utilisait essentiellement l'anchois pour le salage de poissons comme le thon ou les sardines. Mais on l'apprêtait évidemment déjà en cuisine, et dans de multiples mets. Aujourd'hui, la ville de Collioure est devenue la capitale de l'anchois, avec près de 700 tonnes pêchées chaque année. Tout comme la sardine dont il présente des vertus nutritives similaires (richesse en graisses et protéines), l'anchois, petit poisson aux reflets bleu argenté, est pêché en quantité dès le printemps. Durant l'hiver, saison calme pour les pêcheurs, on remonte des filets la « Poutine » – qui n'est autre que l'alevin de l'anchois – dont la pêche n'est autorisée, par un décret datant de 1860, qu'entre Antibes et Menton. Frite, en gratin ou en salade, la poutine est un régal. On déguste souvent l'anchois en hors-d'oeuvre, agrémenté d'un petit filet d'huile d'olive et de quelques poissons marinés. S'il possède une assez bonne capacité de conservation, il faut toutefois, et dès le retour de la pêche, immédiatement l'étêter, l'éviscérer, le saler et le placer en saumure, avant de le conditionner en boîtes ou bocaux.

Soigneusement lavé, désarêté, il est ensuite préparé en filets et roulé dans une huile – de soja, d'olive ou autre –, garantie de fraîcheur jusqu'à dégustation. L'anchois est un excellent condiment, notamment dans beurres et crèmes éponymes. Délicieuse sauce également que l'anchoïade, partenaire idéale de nombreuses viandes et crudités (poivrons, carottes, tomates, fèves, coeurs de céleri...). L'anchois est l'ingrédient essentiel de la tapenade, célébrissime spécialité méridionale composée d'olives noires et de câpres. Il est présent dans l'avoucanado, sauce à base d'avocat et d'olives ou dans l'incontournable bagna caudo, sorte d'anchoïade servie chaude. On retrouve aussi l'anchois dans l'authentique pan-bagnat et bien sûr dans la fameuse salade niçoise. Mariné au basilic ou macéré dans une préparation à base d'ail et d'huile d'olive, il est également succulent. Sachez cependant que l'anchois à l'huile, si rapide à préparer, n'a ni la saveur ni la subtilité aromatique de l'anchois au sel. Certes, mais seulement si ce dernier a été parfaitement dessalé, opération ô combien délicate sur laquelle seul votre poissonnier pourra utilement vous instruire...

Gaspacho

Ingrédients
(pour 4 personnes)

- 1 poivron rouge
- 1/2 concombre
- 1/2 oignon
- 4 tomates
- 1 gousse d'ail
- 1/2 fenouil
- 4 feuilles de basilic
- 2 jaunes d'œufs
- 10 g de gros sel
- 2 dl d'huile d'olive
- Sel
- Poivre du moulin

Préparation

Couper le poivron en deux et l'épépiner. Peler le concombre et l'oignon. Éplucher la gousse d'ail et l'égermer.

Couper oignon, tomates, poivron, basilic, concombre, ail et fenouil en petits dés. Les mélanger avec le gros sel et réserver au frais pendant 6 heures, de façon à cuire légèrement les légumes.

Les mixer ensuite dans le bol d'un robot pour réaliser une purée de légumes. Incorporer les jaunes d'œufs et l'huile d'olive en petits filets. Rectifier l'assaisonnement et passer à l'étamine. Réserver au frais et mixer une dernière fois avant de servir.

Loup rôti en feuilles de figuier, vinaigrette au miel de bruyère et herbes fraîches

Ingrédients
(pour 4 personnes)

- 1 loup de 1,2 kg
- 12 feuilles de figuier
- 4 figues noires
- 100 g de miel de bruyère
- 1 grosse tomate
- 20 g de cerfeuil
- 10 g d'estragon
- 20 g de persil

- 200 g de gros sel
- 4 dl d'huile d'olive
- 40 g de pignons grillés
- 3 cl de vinaigre de Xérès
- 2 dl de vin rouge
- 1 dl de porto rouge
- Sel
- Poivre du moulin

Préparation

Faire écailler et vider le loup par le poissonnier.

Enlever les côtes des feuilles de figuier et les laver. Sur un plateau, disposer une couche de gros sel, les feuilles de figuier encore mouillées et le reste du gros sel. Laisser reposer 40 minutes afin de les attendrir.

Monder, épépiner et couper la tomate en petits dés. Éplucher les figues et les couper en 4. Hacher le cerfeuil, l'estragon et le persil.

Dans un saladier, préparer la farce en mélangeant les figues, la tomate, les pignons, la moitié du miel et 1 décilitre d'huile d'olive. Saler et poivrer.

Dans une casserole, faire réduire le porto et le vin rouge à 80 %. Ajouter ensuite le reste du miel puis, hors du feu, les herbes hachées, le vinaigre et 2 décilitres d'huile d'olive. Réserver au chaud au bain-marie.

Rincer les feuilles de figuier, puis les essuyer avec un torchon.

Assaisonner l'intérieur et l'extérieur du loup et le remplir de farce. Étaler 3 feuilles de papier aluminium de 10 centimètres plus longues que le loup. Les huiler. Y déposer les feuilles de figuier à l'envers et le loup farci par-dessus. Rouler le poisson dans les feuilles et le papier aluminium. Bien le serrer.

Cuire au four à 200 °C durant 25 minutes. Une fois cuit, enlever le papier aluminium et dresser sur un plat, accompagné de la vinaigrette au miel tiède.

Le loup

Appelé « bar » (de « baers » en néerlandais) au bord de l'Atlantique, « louvine » sur la côte basque ou encore « sea bass » aux États-Unis, ce poisson devient « loup » s'il est pêché en Méditerranée. Mais il n'y a guère que l'appellation qui change, car il s'agit du même animal ou presque. À l'instar de son homonyme canidé, le loup, voisin de la perche, fait montre d'une étonnante voracité, ingurgitant sans modération petits poissons, crevettes et crabes. Prédateur redouté, il est aussi à l'aise dans les eaux froides de la Manche ou de la mer Baltique qu'en Méditerranée. Sa goûteuse chair blanche est très prisée des gastronomes qui n'apprécient que le fameux « loup de ligne ». Aucune comparaison évidemment avec ces insipides poissons d'élevage issus de fermes aquacoles, spécialisées dans la production intensive. Le loup séjourne en général sur le premier talus sous-marin, par dix ou quinze mètres de fond. En Atlantique, on le pêche au chalut et à la palangre que l'on relève toutes les deux heures. En Méditerranée, d'avril à septembre, on utilise la traîne et quelques crevettes en guise d'appât ; le plus souvent près des côtes et par mer agitée. S'il est fraîchement sorti de l'eau, le poisson doit être raide et sa chair bien ferme. C'est à ce moment qu'il faut l'apprêter car si on attend trop longtemps, il ramollit et perd une partie de sa saveur. À l'achat, et comme pour nombre de poissons, vérifiez que l'oeil est clair et les ouïes bien rouges, gages de fraîcheur !

Notre poisson ne sera jamais meilleur que légèrement braisé, à peine poché ou passé au four avec du fenouil dans le ventre. Beaucoup font « rôtir » le loup, mais les avis sont assez partagés sur la question. Pour certains cuisiniers, il s'agit là d'un véritable sacrilège. En effet, le loup étant un poisson sec, sa chair, une fois grillée, devient quelque peu filandreuse et beaucoup moins suave. En croûte de sel, rôti en feuilles de figuier (Christophe Pétra en a fait une de ses grandes spécialités), à la barigoule ou accompagné d'olives et de petits légumes de printemps (févettes, brocolis, cébettes, navets...), le loup est tout bonnement succulent. Sachez enfin qu'avec près de la moitié de perte, et bien qu'il ne renferme qu'assez peu d'arêtes, il faut prévoir une pièce d'environ 900 grammes pour deux personnes. Sans quoi, votre repas risquerait d'être quelque peu frugal !

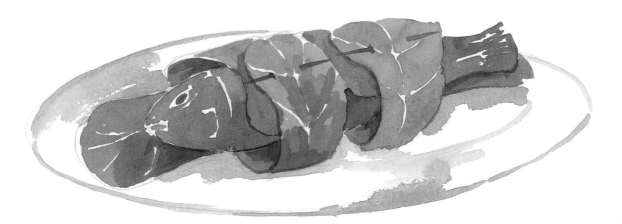

Le poivron

Le poivron est un piment géant, très doux, à fruits verts ou rouges, utilisé en cuisine comme légume. Il existe bien d'autres variétés, de diverses couleurs (orange, jaune, violet, marron), mais elles ne sont que des hybrides. En effet, seuls les poivrons verts et rouges sont totalement naturels. Les premiers, très fruités, doivent être cueillis avant maturité et les seconds, à la pulpe épaisse et sucrée, très mûrs. Les origines sud-américaines du poivron remonteraient à quelque 5 000 ans avant J.-C. Découvert par Christophe Colomb — qui suivait alors la fameuse Route des épices — le poivron fut initialement décrit comme « un poivre », d'où son nom actuel. Aujourd'hui, les poivrons cultivés outre-Atlantique ont envahi nos étals. Des fruits de qualité moyenne, mais très bon marché, comparés aux délicieuses, mais coûteuses variétés provençales (Pebroun, Vert d'Antibes ou Petit marseillais). Au moment de l'achat, choisissez vos poivrons brillants, de couleur uniforme et préférez ceux dont la peau est exempte de tavelures (taches, crevasses). Le poivron est excellent farci — d'herbes, de viande ou de fromage ; indispensable dans la ratatouille ou la piperade et toujours le bienvenu dans une salade de crudités (à condition de le détailler en fines lanières, sans quoi il masquerait les autres saveurs de votre mets). Aux côtés de crustacés comme la langoustine par exemple, n'hésitez pas à sucrer légèrement vos poivrons, leur arôme n'en sera que plus intense. Pour le peler plus facilement, le passer quelques instants sous le gril du four. Côté conservation, pas plus de quelques jours au réfrigérateur. On peut bien sûr congeler le poivron, non sans l'avoir préalablement détaillé en dés ou en lanières, puis délesté de ses graines et cloisons avant de le blanchir une ou deux minutes. Ainsi pourra-t-on le conserver une dizaine de mois environ.

Marinade de poulpe

Ingrédients
(pour 4 personnes)

- 1 poulpe moyen
- 2 poivrons rouges
- 8 cébettes fines
- 1 branche de thym
- 1 gousse d'ail
- 1 bouquet de coriandre fraîche
- 4 dl d'huile d'olive

Préparation

Passer les poivrons sous le gril du four jusqu'à ce qu'ils noircissent et que la peau boursoufle, puis les éplucher et les épépiner.

Cuire le poulpe dans de l'eau salée pendant 45 minutes à la Cocotte-minute.

Pendant ce temps, disposer les cébettes dans un sautoir ainsi que l'ail préalablement épluché et égermé. Faire confire tout doucement durant environ 1 heure. Laver les poivrons taillés en petits dés et la branche de thym.

Rafraîchir le poulpe, puis retirer toute la peau et les ventouses. Le couper en gros morceaux et les ajouter au confit. Faire chauffer le tout 5 minutes.

Réserver au frais. Sortir 1 heure avant de passer à table. Parsemer de coriandre hachée avant dégustation.

Minute de thon mi-cuit au sésame

Ingrédients
(pour 6 personnes)

- 1 filet de thon sans peau de 800 g
- 1 dl d'huile de sésame
- 1 concombre
- 200 g de pourpier sauvage
- 50 cl d'huile d'olive
- 1 citron
- 100 g de parmesan
- 1 cuillerée à café de raifort
- 1 cuillerée à soupe de coriandre hachée
- Sel
- Poivre du moulin

Préparation

Détailler le thon en fines tranches.

Éplucher le concombre, l'épépiner et le couper en dés. Bien laver et essorer le pourpier. L'assaisonner avec huile d'olive, citron, sel et poivre.

Couper le parmesan en gros copeaux.

Badigeonner un plat d'huile d'olive, assaisonner, parsemer de raifort et de coriandre. Disposer les tranches de thon et les dés de concombre par-dessus. Arroser d'huile de sésame. Cuire au four 1 minute à 160 °C, puis parsemer de salade de pourpier sauvage et de copeaux de parmesan.

Le thon

Poisson migrateur de haute mer, le thon se pêche à la ligne, au palangre ou à la traîne. De la famille des Scombridés (comme le maquereau), il peut atteindre trois mètres et peser jusqu'à près de 400 kg (mais en moyenne 100 kg). Qu'il soit blanc ou Germon en Atlantique ou rouge en Méditerranée, le thon est pêché de juin à octobre. Période durant laquelle sa chair est peu grasse ; celle du Germon notamment, à consommer frais et dont la tendreté rappelle un peu la viande de veau. En Méditerranée, on trouve également la Bonite ou Pélamide, voisin du thon, mais bien moins goûteux et le plus souvent destiné à la conserverie. Parce que très gras (13 % de lipides et environ 225 kcal pour 100 g), il est préférable de cuisiner le thon avec peu de matières grasses. Mais notre poisson est également très riche en protéines, fer, phosphore et en vitamines A, B et D. On l'accommode de mille façons selon les régions (le Germon est fameux avec du pâté chaud, des pommes de terre et une sauce tomate). En Provence, << lou toun >> est apprêté sous forme de steak, escalope, brochette et autre tournedos. Il est aussi délicieux cru — mariné ou en tartare — que grillé au barbecue. Certains chefs aiment le poêler et l'arroser d'un jus d'oignon blanc, le relever d'un piment d'Espelette ou simplement le faire sauter. Accompagné d'une purée de << pendelotes >> (olivettes) et de quelques câpres, mijoté à la tomate et au basilic, escorté par quelques gnocchis de courgettes ou aux côtés d'une simple jardinière de légumes frais ou de poivrons grillés, le thon rouge est tout bonnement divin. Enfin, le thon à l'ail, émietté et grillé sur des tranches de pain passées quelques minutes au four et agrémenté d'olives, de cébettes et tomates, est idéal en entrée ou pour un petit casse-croûte matinal.

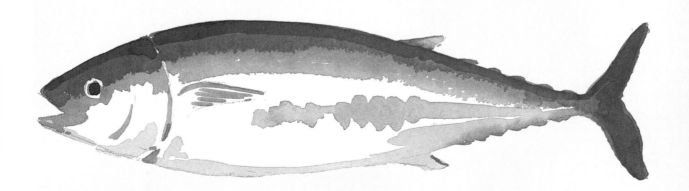

Sardines à l'escabèche

Ingrédients
(pour 4 personnes)

- 12 sardines
- 4 tomates
- 3 oignons
- 1 tête d'ail
- 12 feuilles de basilic
- 2 dl d'huile d'olive
- 1 dl de vinaigre de Xérès

Préparation

Faire lever par le poissonnier les sardines en filet.

Plonger les tomates quelques minutes dans l'eau bouillante, enlever la peau et les pépins, puis les couper en quartiers.

Éplucher les oignons et l'ail, les émincer et les faire revenir dans de l'huile d'olive avec les tomates. Cuire pendant 15 minutes à feu doux. Ajouter ensuite le basilic et le vinaigre de Xérès.

Faire revenir les sardines à l'unilatérale avec un peu d'huile d'olive pendant 1 minute et les disposer sur l'escabèche.

La sardine

Les sardines sont très répandues dans l'Atlantique et en Méditerranée où elles sont pêchées en abondance de mai à octobre. Plus petite que sa cousine de la côte ouest et plus goûteuse également, la sardine << méridionale >> est reconnaissable à son dos bleu-vert et à son ventre aux reflets argentés qui lui valent le surnom << d'or bleu de la Méditerranée >>. Très riche en protéines, lipides et autres vitamines A et D, la sardine, voisine du hareng, est un poisson très gras qui ne sera jamais aussi savoureux qu'apprêté << à la brûle >>. Ni vidé ni écaillé, notre poisson est placé au retour de la pêche sur un lit de sarments de vigne et grillé en quelques minutes. Seule précaution : bien veiller à les cuire sur la braise et non pas sur les flammes qui, en brûlant les graisses, pourraient rendre vos poissons particulièrement nocifs. Très bon marché (environ 2 euros le kilo), la sardine peut être frite, grillée, au sel, meunière, farcie, gratinée ou à l'étuvée. Mais quelle que soit sa préparation, on doit presque toujours lui

ôter la tête et surtout bien la désarêter. Pour cette minutieuse opération, on utilise le plus souvent une pince à épiler. C'est dire la patience dont il faudra s'armer !

Comme maquereaux et merlans, les sardines se préparent, bien sûr, à << l'escabèche >>. La friture est également fort goûteuse. Il suffit d'écailler et de vider la sardine, de la cuire dans une poêle avec un peu d'huile d'arachide. C'est rapide, pas cher et délicieux. Tout aussi appétissantes, les sardines farcies — aux épinards notamment — nécessitent en revanche près de deux heures de préparation, cuisson comprise. Pour les plus paresseux, il restera la sardine en boîte, dont on peut cependant se régaler. À l'huile d'olive, à la tomate, aux aromates ou aux achards — condiment composé de légumes macérés dans du vinaigre — dégustez donc votre << conserve >> avec quelques tranches de pain grillé et un bon beurre demi-sel.

Taboulé de langoustes au safran

Ingrédients
(pour 4 personnes)

- 200 g de semoule à couscous
- 12 langoustes moyennes
- 1 g de safran
- 2 citrons
- 4 dl d'huile d'olive
- 60 g de beurre
- 1 cuillerée à soupe de menthe hachée

- 1 cuillerée à soupe de persil haché
- 1 cuillerée à soupe d'aneth haché
- 1/2 oignon
- 1/2 poivron
- 4 tomates
- 80 g de raisins secs blancs
- Sel
- Poivre du moulin

Préparation

Faire tremper les raisins secs dans de l'eau pendant 2 heures. Hacher l'oignon, couper le poivron et 1 tomate en dés.

Disposer la semoule dans un plat, arroser du jus des citrons et mouiller à hauteur avec de l'eau chaude. Laisser refroidir, puis égrainer. Ajouter 2 décilitres d'huile d'olive, le persil, le poivron, les tomates, la menthe et l'oignon. Assaisonner, puis réserver au frais.

Couper les langoustes en deux, ôter les têtes et faire mariner le tout dans un plat avec le safran (côté chair) pendant 1 heure.

Les égoutter, puis les éponger avec du papier absorbant. Les assaisonner et parmeser de chair d'aneth.

Pour le coulis de tomates : beurrer et assaisonner le fond d'une cocotte. Y disposer les tomates coupées en deux, le côté pépin au fond et cuire 2 heures à feu très doux. Les mixer et ajouter 2 décilitres d'huile d'olive. Assaisonner et passer le coulis à l'étamine. Réserver au chaud.

Saisir les langoustes côté chair dans une poêle durant 1 minute.

Disposer un cercle à pâtisserie au centre de chaque assiette et y mettre du taboulé. Verser le coulis de tomate autour du taboulé et ajouter les langoustes.

Moules macédoine

Ingrédients
(pour 4 personnes)

- 2 kg de grosses moules d'Espagne
- 2 carottes
- 1/4 de céleri boule
- 1 grosse pomme de terre
- 150 g de petits pois
- 200 g de haricots verts
- 50 g d'échalotes hachées
- 1 branche de thym
- 1 feuille de laurier
- 150 g de mayonnaise
- 5 dl de vin blanc
- 1 bouquet de cerfeuil
- Le jus d'1 citron
- Beurre
- Huile d'olive
- Sel
- Poivre du moulin

Préparation

Éplucher les carottes, le céleri boule, la pomme de terre, puis les couper en petits dés. Les cuire séparément dans de l'eau bouillante salée pendant 4 minutes. Équeuter les haricots verts, les tailler en petits bâtonnets et les plonger 2 minutes dans de l'eau bouillante salée. Écosser les petits pois et les cuire également 2 minutes dans de l'eau bouillante salée. Rafraîchir les légumes et les égoutter.

Disposer chaque légume dans des bols différents et ajouter une cuillerée de mayonnaise bien corsée en moutarde. Réserver à température ambiante (pas au réfrigérateur).

Laver et gratter les moules.

Préparer une petite salade de cerfeuil en le mélangeant avec un filet d'huile d'olive, un jus de citron, sel et poivre.

Dans une cocotte, faire fondre une noix de beurre et mettre à revenir les échalotes sans coloration. Ajouter ensuite le vin blanc, le thym, le laurier et porter à ébullition. Jeter les moules dedans, couvrir et cuire environ 1 minute. Réserver à température ambiante.

Quinze minutes avant de passer à table, ouvrir la cocotte et séparer les moules de leurs coquilles. Prendre ensuite une coquille et déposer 3 moules à l'intérieur, un des légumes de la macédoine et la salade de cerfeuil.

Répartir les autres légumes de la macédoine dans les coquilles restantes. Servir le plus tiède possible.

Le lapin

Civet de lapin, lapin chasseur, lapin farci, cuit à la broche ou encore mariné (au vin blanc ou rouge, ce qui empêche la chair de sécher) ; << cul >> de lapin à la moutarde (entendez les barons), lapin à la tomate, à l'ail et aux échalotes ; lapin aux anchois, aux courgettes en cocotte, aux cèpes ou aux aubergines... les manières d'accommoder le lapin foisonnent en Provence. Christophe Pétra aime le laisser confire quatre heures et l'accompagner d'une polenta aux pignons, de peaux d'aubergines brûlées et d'un jus à l'huile de basilic. Pour bien choisir votre lapin, quelques conseils utiles. Tout d'abord, le label << lapin de France >> vous assurera que vous êtes en présence d'une viande de qualité, souvent suggérée à un coût raisonnable (environ 10 euros le kilo). Un bon lapin doit avoir une chair ferme et rosée, un foie bien rouge et posséder un peu de gras, blanc, autour des rognons. Sur votre marché, le préférer entier car sa viande se dessèche malheureusement assez vite. Une fois acheté, le conserver pas plus de deux ou trois jours au réfrigérateur, emballé dans du papier d'aluminium. Éviter surtout la congélation car le froid, que la viande de lapin supporte mal, aura tendance à la faire durcir au moment de la cuisson.

Brochette de lapin au barbecue

Ingrédients
(pour 4 personnes)

- 1 lapin
- 10 feuilles de laurier
- 1 gros oignon
- 500 g de poitrine demi-sel
- 3 dl d'huile d'olive

Préparation

Faire couper le lapin par le boucher en 10 morceaux égaux. Récupérer le foie et les rognons.

Sur une broche, enfiler un morceau de lapin, une feuille de laurier, un pétale d'oignon et un morceau de poitrine demi-sel. Recommencer l'opération. Déposer les broches sur le barbecue, arroser généreusement d'huile d'olive, assaisonner et cuire pendant 2 heures à feu doux.

Hacher le foie et les rognons et les déposer dans la lèchefrite 5 minutes avant la fin de la cuisson. Arroser les brochettes du jus d'abats.

En Provence, ces brochettes se mangent le plus souvent avec une salade sauvage à l'ail (*renpoutchou* et *cousteline*) et dans un cadre « adéquat » (un cabanon de chasseurs par exemple).

Canard rôti aux pêches et abricots

Ingrédients
(pour 4 personnes)

- 1 canard prêt à cuire
- 6 abricots
- 3 pêches blanches
- 1 cuillerée à soupe de gelée de groseille

- 2 dl de porto blanc
- 200 g de beurre
- 50 cl d'huile d'arachide
- 4 fines tranches de lard demi-sel

Préparation

Éplucher, couper en deux et dénoyauter les abricots et les pêches.

Dans un plat à rôtir, disposer le canard, ajouter l'huile, 50 grammes de beurre et le cuire 10 minutes sur chaque cuisse dans un four à 220 °C. Le cuire ensuite à plat pendant 20 minutes. Ajouter 4 demi-abricots et 2 demi-pêches et cuire encore 15 minutes. Recouvrir d'une feuille de papier aluminium et réserver au chaud.

Dans une poêle, faire fondre 100 grammes de beurre et y faire colorer les tranches de lard. Ajouter le reste des abricots et des pêches. Une fois les fruits et le lard bien colorés, joindre la gelée de groseille et le porto. Faire confire 40 minutes environ à feu très doux.

Avant de servir, réchauffer le canard au four à 180 °C durant 5 minutes, puis le découper en quatre. Passer son jus de cuisson à l'étamine en écrasant bien les fruits. Monter le jus avec le reste du beurre dans une casserole à feu doux. Rectifier l'assaisonnement.

Dresser les fruits dans un plat de service, disposer les morceaux de canard dessus et napper de sauce. Servir chaud.

Confit de ratatouille

Ingrédients
(pour 4 personnes)

- 4 tomates
- 3 aubergines moyennes
- 3 courgettes moyennes
- 2 poivrons rouges
- 1 oignon

- 8 gousses d'ail
- 1 branche de thym
- 4 dl d'huile d'olive
- Sel
- Poivre du moulin

Préparation

Sur la flamme de la cuisinière, faire noircir les poivrons sur toutes leurs faces, les rafraîchir à l'eau froide, les peler et les épépiner. Réserver à température ambiante.

Couper les courgettes en tranches épaisses dans le sens de la largeur. Détailler les aubergines en rondelles épaisses.

Ébouillanter les tomates quelques minutes, les rafraîchir, les peler, les épépiner et les couper en quartiers. Passer au tamis la peau et les pépins afin de réaliser un jus de tomate.

Couper l'oignon en quatre et l'éplucher en prélevant les couches successives, afin d'obtenir des pétales. Éplucher les gousses d'ail, les couper en deux et les égermer.

Faire chauffer un peu d'huile d'olive dans une poêle et faire revenir les pétales d'oignons, jusqu'à ce qu'ils caramélisent (légèrement).

Dans une autre poêle, faire revenir à coloration courgettes et aubergines.

Dans un plat allant au four, disposer oignons, ail, aubergines, courgettes, poivrons, tomates, thym et mouiller avec le jus de tomate. Bien assaisonner à chaque étape. Arroser d'huile d'olive et laisser confire au four durant 2 heures à 100 °C, le tout recouvert de papier aluminium. Servir dans le plat de cuisson.

Tomate, courgette et aubergine, trio magique de la cuisine provençale

Les beaux jours venus, la nature se pare de ses plus beaux atours et nous offre ces merveilleux fruits et légumes que nous achetons indifféremment toute l'année. Mais sachez qu'un fruit ou un légume ne sera jamais meilleur, ni plus odorant, que durant sa période << naturelle >> de production. Parmi ces plantes potagères dont la Provence regorge, tomate, courgette et aubergine figurent au nombre des ingrédients phares de la cuisine méridionale.

La tomate : fruit ou légume ?

Nos dictionnaires la définissent ainsi : plante annuelle herbacée – dont les parties aériennes meurent après la fructification – et bien sûr fruit de cette plante. Pas de doute donc, la tomate est bien un fruit ; même si on l'utilise davantage comme un légume. Si elle est aujourd'hui un produit de consommation courante, la tomate fut longtemps cultivée comme simple plante ornementale. En effet, nos ancêtres affirmaient qu'elle était vénéneuse et aussi dangereuse que la ciguë ou la belladone (elle appartient d'ailleurs à la même famille que cette dernière, les Solanacées). En Orient, on lui prêta jadis de puissants pouvoirs aphrodisiaques. À tel point que les jeunes filles étaient sévèrement châtiées, si elles osaient seulement y toucher ! Notre impudique tomate tirerait-elle son surnom provençal de << pomme d'amour >> de cet antique

véto ou de ces soi-disant propriétés ?
Des deux, peut-être ! Toujours est-il
que cette réputation tenace de « fruit
interdit » retarda jusqu'au XVIᵉ siècle,
l'introduction de la tomate sur le vieux
continent. Et il faudra encore attendre
près de deux cents ans avant qu'elle ne
soit employée comme plante potagère.

Originaire d'Amérique du Sud
(« tomatl » chez les Aztèques),
notre fruit-légume posséderait, selon les
Incas, de réelles vertus médicinales (son
jus désinfecterait efficacement les
piqûres d'insectes). Remède miracle ou
simple aliment, il reste que la tomate a
pris une solide revanche sur l'histoire et
sur cette longue et injuste mise à l'index.
A ce jour, l'INRA en recense plus de
2 500 variétés dont les plus connues se
nomment Marmande, Roma, Lucie,
Montfavet et autres Saint-Pierre.
La Provence est une grande productrice
de tomates : ronde, côtelée, allongée ou
olivette, cerise ou en grappe. Aujourd'hui,
la tomate est abondamment utilisée en
cuisine et pas seulement en salade ou
farcie. En Provence et dans le comté
de Nice, elle demeure incontournable dans
la confection des fameux petits farcis,
au même titre que courgette, oignon,
aubergine et poivron.

Quelques généralités pour mieux apprécier la tomate

Il faut toujours que son pédoncule
soit bien vert au moment de la cueillette,
car c'est lui qui donne tout son arôme à
votre fruit. Sachez aussi que c'est en
début de maturité que la tomate est la
plus goûteuse — à la croque au sel par
exemple — et sûrement pas l'hiver, où elle
est issue d'une culture sous serre, souvent
intensive. Sans grande saveur et farineuse,
il faudra alors y adjoindre d'autres
ingrédients pour en faire une salade
comestible. A moins bien sûr, que vous
n'ayez pris soin, à la belle saison, d'en
mettre quelques-unes en conserve. Aux
premiers frimas de novembre, quel bonheur
de retrouver ces tomates au naturel,
dont la saveur sera identique, sinon
supérieure, aux fruits de l'été ! Ultime
conseil, il ne faut utiliser que des
tomates bien mûres et fermes pour
élaborer vos sauces et à l'inverse, des
fruits verts pour faire vos confitures,
des beignets ou encore une tarte.
Enfin, ne jamais laisser séjourner des
tomates au réfrigérateur. Un crime
de lèse-majesté !

Courgette et aubergine, deux délicieuses complices

Trio magique, la tomate, la courgette et l'aubergine permettent de réaliser de somptueux mariages. Avec la farce bien entendu, mais également entre elles, dans ce succulent ragoût de légumes qu'est la « ratatouille » ou dans quelque hachis d'herbes, de viande et de légumes qui farcira volailles ou poissons. Pourtant, il est parfois bon de les séparer pour mieux apprécier leur richesse gustative. L'aubergine par exemple, se déguste souvent seule, que ce soit en gratin, grillée, frite, en beignets ou encore crue en salade. Petite astuce : si vous la faites frire, songez à bien l'égoutter, afin d'en recueillir toute l'huile dont elle se sera inévitablement gorgée. De toutes les recettes, celle du « caviar » d'aubergines est sûrement la plus connue. Cette délicieuse entrée froide, facile à réaliser, escortera superbement un carpaccio de poisson ou un hareng saur à l'huile. Également exquise,

la « bohémienne », spécialité vauclusienne constituée d'aubergines, de tomates, anchois, huile d'olive, ail, laurier, lait et farine.

Comme sa partenaire la tomate, l'aubergine aura accompli un long périple avant d'être cultivée en France, aux alentours du XVIIᵉ siècle. Originaire d'Asie, celle que l'on baptisa « Pomme du fou », a toujours été une des plantes potagères préférées des Indiens, des Berbères et des Andalous ; et beaucoup plus tard des Provençaux. On compte de nombreuses variétés d'aubergine :

la goûteuse Barbentane, du nom d'un village des Bouches-du-Rhône ; la Baluroi, au goût amer ; la violette de Toulouse, excellente farcie ; la Bonica ou encore l'insolite et blanche Dourga, aux effluves de champignon. Pour une meilleure dégustation, une exigence commune : les consommer fraîchement cueillies et toujours bien fermes. Avant de l'apprêter, il est bon de dégorger l'aubergine en la salant abondamment ; même si les avis restent très partagés sur ce point, certains cuisiniers objectant qu'elle perdra dès lors, l'essentiel de sa saveur.

Autre ingrédient pilote de la cuisine méditerranéenne : la courgette, de la famille des Cucurbitacées, comme le melon et le potiron, dont il est fait grand usage de la fleur, récoltée sur toutes les variétés — rondes, longues ou demi-longues. Les Niçois ont été les tout premiers à concocter ladite fleur sous forme de beignets, spécialité excessivement plagiée depuis. La courgette dite Ronde de Nice — fort prisée des cuisiniers — assez petite, sphérique et légèrement cannelée, est considérée comme la meilleure des souchettes, son nom en Provence. La variété Diamant est appréciée pour la délicatesse de sa chair et son absence de pépins. Très courue, car bon marché et facile à préparer, la courgette peut se cuisiner de mille manières : sautée, gratinée, frite, crue, en purée, en omelette ou en salade. Sans oublier petits farcis, ratatouille et soupe au pistou dans lesquels elle est reine. A l'achat, assurez-vous que votre légume soit à la fois ferme, lisse, sans taches et de taille moyenne (15 à 20 cm). Sachez enfin que cuites à la vapeur, nos trois stars du potager, réputées pour leur très faible teneur calorique, s'avéreront des plus diététiques.

Crépinette d'agneau de lait au cumin

Ingrédients
(pour 4 personnes)

- 12 petites côtes d'agneau de lait (y compris l'os de la côte, bien propre)
- 400 g de crépine
- 1 carotte
- 1 branche de céleri
- 6 gousses d'ail
- 1dl d'huile d'olive

- 2 dl d'huile d'arachide
- Jus d'un 1/2 citron
- 1 branche de thym
- 1 bouquet de cerfeuil
- 1 bouquet d'estragon
- 10 g de cumin
- Sel
- Poivre du moulin

Pour la vinaigrette
- 1/2 citron
- 0,5 dl d'huile d'olive
- Sel
- Poivre du moulin

Préparation

Faire préparer par le boucher les côtes d'agneau.

Les faire mariner dans l'huile d'arachide et le cumin pendant 1 heure en les retournant au bout de 20 minutes.

Passer la crépine sous l'eau froide pour bien la laver, puis l'égoutter.

Éplucher la carotte, le céleri et tailler le tout en gros bâtonnets. Éplucher et égermer l'ail.

Faire blanchir les bâtonnets de carotte et de céleri quelques minutes dans une eau bouillante, puis les faire revenir à coloration dans un sautoir avec de l'huile d'olive, le thym et l'ail. Assaisonner et laisser cuire 15 minutes. Réserver la garniture au frais.

Étaler la crépine sur une planche, y déposer les côtes, assaisonner et ajouter la garniture froide. Refermer la crépine en serrant bien et laisser dépasser les côtes.

Dans un sautoir, faire délicatement rôtir les crépinettes, à feu doux, environ 8 minutes de chaque côté.

Pendant ce temps, équeuter les herbes, les laver et les égoutter. Préparer la vinaigrette en mélangeant huile d'olive, jus de citron, sel et poivre.

Dresser les herbes en haut de l'assiette, arroser de vinaigrette, puis déposer les crépinettes et ajouter un peu de jus de cuisson.

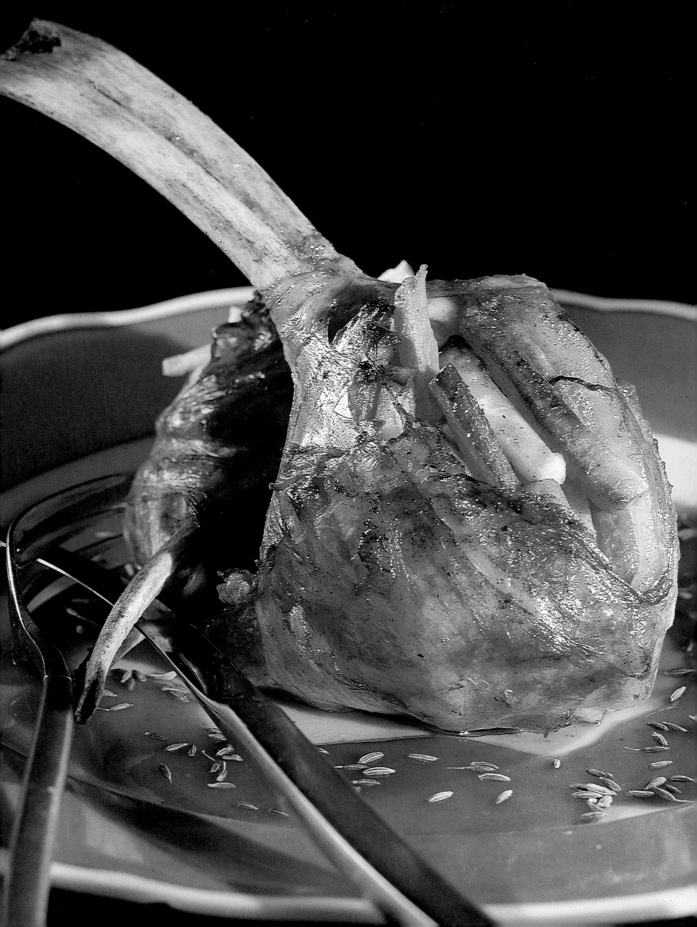

Lapin confit de quatre heures à la peau d'aubergine brûlée

Ingrédients
(pour 4 personnes)

- 1 râble de lapin désossé (et ses os)
- Caviar d'aubergines
- 50 g de crépines
- 1 oignon
- 2 tomates
- 1 poivron rouge

- 3 gousses d'ail
- 100 g d'olives noires
- 1 branche de thym
- 1 bouquet de persil
- 1 l de fond de veau lié
- 5 cl d'huile d'olive

Préparation

Réaliser le caviar d'aubergines (voir recette p. 129) et conserver les peaux.

Bien rincer et presser les crépines. Les étaler, puis poser dessus les peaux des aubergines, le râble de lapin et assaisonner. Disposer le caviar d'aubergines au centre et sur toute la longueur. Rouler le tout et le ficeler comme un rôti.

Écraser les gousses d'ail sans les éplucher.

Égrainer le poivron et le couper en quatre. Couper les tomates en deux. Éplucher et couper l'oignon en quatre.

Faire chauffer de l'huile d'olive dans une cocotte et mettre à rissoler le lapin sur toutes ses faces. Ajouter les os du lapin, l'ail, le poivron, les tomates, l'oignon, le thym, les olives et les queues de persil. Mouiller avec le fond de veau et compléter à hauteur avec de l'eau. Cuire au four (120 °C) sans couvercle pendant 4 heures environ.

Une fois le lapin bien confit, le retirer de la cocotte et le déficeler. Passer le jus de cuisson à l'étamine et assaisonner. Retirer les olives et mettre les autres ingrédients dans la cocotte. Servir chaud.

NB : le lapin se découpe éventuellement à la cuillère.

Mulet au vin blanc

Ingrédients
(pour 6 personnes)

- 6 petits mulets de 400 g pièce environ
- 5 dl de vin blanc
- 1 dl d'huile d'olive
- 2 cl de vinaigre blanc
- 2 citrons
- 2 carottes
- 1 oignon
- 6 gousses d'ail
- 1 branche de céleri
- 1 cuillerée à soupe de persil haché
- 1 cuillerée à soupe de cerfeuil haché
- 1 cuillerée à soupe d'estragon haché
- 4 tomates
- 2 baies de genièvre
- Sel
- Poivre du moulin

Préparation

Faire lever les filets par le poissonnier. Réserver dans un plat creux au frais.

Éplucher et hacher l'oignon. Éplucher, égermer et émincer l'ail. Émincer la branche de céleri. Peler et couper les carottes en rondelles.

Ébouillanter les tomates pendant quelques minutes, ôter la peau, les épépiner et les couper en dés.

Peler les citrons et les couper en rondelles.

Dans une casserole, mettre oignon, carottes, ail, baies de genièvre, céleri branche, vin blanc, vinaigre et laisser cuire cette marinade 20 minutes à feu doux.

Badigeonner les mulets d'huile d'olive, les assaisonner et les parsemer des herbes hachées, des dés de tomates et des rondelles de citron.

Verser la marinade chaude sur le poisson et réserver dehors, tant que la préparation n'est pas refroidie. Maintenir au frais jusqu'au moment de servir.

Gratin de langouste et macaronis

Ingrédients
(pour 4 personnes)

- 2 langoustes de 600 g pièce
- 500 g de macaronis
- 150 g de beurre
- 1 dl d'huile d'olive
- 4 jaunes d'œufs
- 1 carotte
- 2 échalotes hachées
- 3 branches de persil

- 5 dl de vin blanc sec
- 1 dl de Noilly Prat
- 1 cuillerée à café de concentré de tomates
- 80 cl de cognac
- 3 dl de crème fraîche
- Sel
- Poivre du moulin

Préparation

Éplucher la carotte et la couper en dés.

Séparer les têtes des queues de langoustes et réserver ces dernières au frais. Récupérer le corail des langoustes dans un bol. Couper les têtes en petits morceaux et les faire revenir avec un filet d'huile d'olive. Ajouter ensuite les carottes, les échalotes et laisser dorer 1 minute.

Flamber ensuite au cognac, puis ajouter le vin blanc, le concentré de tomates, le persil et cuire 40 minutes à feu doux. Crémer ensuite légèrement et cuire encore 15 minutes. Passer à l'étamine et réserver au chaud.

Pour le sabayon, cuire les jaunes d'œufs dans une casserole au bain-marie avec 50 centilitres d'eau et le Noilly Prat. Fouetter vivement afin d'obtenir une crème onctueuse.

Ajouter le corail dans la sauce langouste, mélanger avec 80 grammes de beurre, puis hors du feu, joindre le sabayon.

Cuire les macaronis al dente et les réserver à température ambiante.

Ébouillanter les queues de langoustes 2 minutes, les décortiquer et les couper en petits morceaux. Les mélanger dans un saladier avec les macaronis. Assaisonner.

Dans un plat à gratin beurré, disposer le mélange macaronis-langoustes et napper de sabayon. Faire gratiner à 160 °C au four durant 8 minutes. Servir chaud.

Turbot rôti en croûte de pomme de terre, purée haricot coco et fumet de vin rouge

Ingrédients
(pour 4 personnes)

- 1 turbot de 1,4 kg
- 350 g de flocons de pommes de terre (purée Mousseline)
- 1,2 kg d'haricots cocos
- 1 dl de porto rouge
- 4 dl de vin rouge
- 1 jaune d'œuf
- 180 g de beurre
- 1 carotte
- 2 échalotes
- 1/2 branche de céleri
- 4 dl de crème
- 4 dl de bouillon de poule
- 50 cl d'huile d'olive
- 1 branche de thym
- 2 gousses d'ail
- Sel
- Poivre du moulin

Préparation

Faire lever les filets de turbot par le poissonnier et réserver les arêtes.

Éplucher les échalotes et les hacher. Éplucher la carotte et les couper en dés. Écraser les gousses d'ail avec la peau. Couper la branche de céleri en dés.

Tailler 4 pavés dans les filets de turbot, les badigeonner de jaune d'œuf sur une face. Les assaisonner et les paner du côté badigeonné avec les flocons de pommes de terre. Réserver à température.

Écosser les haricots et les faire cuire dans 2 décilitres de bouillon de poule et 2 décilitres de crème pendant environ 30 minutes. Mixer et réserver au chaud.

Dans une cocotte, faire revenir les arêtes avec un peu d'huile d'olive, puis ajouter échalotes, dés de céleri et de carotte, ail et thym. Faire revenir 2 minutes, mouiller avec le porto et le vin rouge. Laisser cuire 30 minutes à feu doux. Passer ensuite à l'étamine et faire réduire de moitié. Incorporer ensuite 80 grammes de beurre et réserver au chaud.

Dans le beurre restant préalablement fondu et débarrassé de ses impuretés, faire cuire les pavés de turbot côté panure pendant environ 8 minutes à feu doux. Laisser monter la chaleur pour que les pavés blanchissent. Les retourner et finir la cuisson.

Dresser la purée de cocos au centre de l'assiette, déposer le pavé de turbot dessus et napper de sauce au vin. Servir chaud.

Les vins de Provence et la gastronomie

Contrairement à certaines idées reçues, les vins de Provence ne se résument pas qu'au seul rosé, certes vinifié en quantité dans la région. Certains rouges, méconnus ou ignorés, méritent beaucoup mieux que leur piètre réputation. A l'instar des crus du Bandolais, remarquables vins de garde. S'ils représentent moins de 5 % du volume global de production, les vins blancs, confidentiels en Provence, ne manquent cependant pas d'intérêt A l'image des crus de Cassis et de Bellet qui ont bâti leur notoriété sur cette seule couleur. Quoi qu'il en soit, vins de Provence et cuisine méditerranéenne se complètent à merveille et offrent de somptueuses alliances. Une explosion de sensations papillaires que la vaste palette aromatique des crus locaux, mêlée aux subtils effluves des spécialités culinaires régionales, permet de mettre en exergue...

Injustement qualifié de « petit vin » ou de « vin de soif », à boire l'été sous la tonnelle avec des glaçons − crime de lèse-majesté −, le rosé est en réalité un vin très travaillé dont la robe notamment, est des plus délicates à obtenir. Si les rosés se dégustent surtout au printemps et à la belle saison, certains d'entre eux, dits de « garde », s'apprécieront l'hiver. La plupart des rosés s'avérant par leur fraîcheur, leur élégance et leur richesse aromatique, d'excellents compagnons de route des plats asiatiques et nord-africains, c'est tout aussi divinement qu'ils accompagneront moult plats provençaux. Les exemples foisonnent Un rosé « épicé », très parfumé, sera idéal avec coquillages et fruits de mer ; tandis qu'un rosé vif et fruité se mariera superbement avec foie gras, poisson fumé ou même avec un fromage fort Un rosé plus gras, assez complexe et présentant une certaine puissance, sera le plus indiqué aux côtés d'une bouillabaisse. Associés au rosé, nombre de plats révéleront une harmonie insoupçonnée. Comme une daurade accompagnée de fenouil, tomates, poivrons et cébettes, ces délicieux petits oignons printaniers qui ressemblent à des poireaux. Même symbiose entre un filet de rouget de roche simplement poêlé et un rosé assez corsé qui mettra en valeur la finesse gustative de la chair du poisson. Une baudroie au safran ou une morue à l'aïoli, se savoureront avec des rosés plus évolués et très soyeux, qui rivaliseront avec herbes et aromates tout en préservant le fumet des poissons. Charcuteries fines, salades, grillades et fromages de chèvre s'accordent superbement avec un vin rosé. Sachez enfin que la plupart des rosés de Provence sont à boire dans l'année − sauf quelques Bandol ou Palette qui pourront vieillir cinq ans et plus ; qu'il faut les servir frais (entre 8 et 10 °C) et qu'ils sont excellents à l'apéritif, en compagnie de quelques amuse-bouches.

En ce qui concerne les vins rouges de Provence dont certains possèdent une grande aptitude à la garde, ils peuvent accompagner quantité de plats régionaux. L'alliance est parfaite entre un rôti de lotte au lard fumé, des pieds d'agneau braisés, une belle pièce de gibier ou quelques pieds et paquets, et un vieux Bandol, une cuvée du Château Simone ou un vin des coteaux d'Aix-en-Provence. Ces derniers sont tout aussi remarquables avec un navarin d'agneau, une daube de boeuf ou un civet. Quant aux voisins des côtes-de-Provence, ils seront les complices rêvés d'un gigot d'agneau aux herbes, d'un canard aux olives et même de langoustes flambées au marc de Provence. Un vin des coteaux Varois, plus capiteux, voire rustique, se servira volontiers aux côtés d'une brouillade de truffes, d'artichauts en barigoule ou encore d'un bon coq au vin.

On recommande généralement les blancs de Provence avec poissons, crustacés et fruits de mer ; avec certains fromages également. Mais les vins de Cassis, Bellet, Bandol ou des côtes-de-Provence s'allient excellemment avec des mets aussi divers que Saint-Jacques rôties et girolles, sardines marinées au citron, tian de rouget barbet à la tapenade, lotte poêlée au beurre de pastis, chapon à l'ail nouveau, fricassée de calmars... Sans oublier l'exquise et incontournable bouillabaisse. La plupart des vins blancs de Provence sont fort prisés à l'apéritif. Essayez donc !

Pigeons en croûte, foie gras, choux et truffes

Ingrédients
(pour 4 personnes)

- 2 pigeons de 500 g pièce désossés et sans peau
- 200 g de foie gras
- 1/2 chou frisé
- 40 g de truffes
- 50 g de lardons
- 1/2 oignon

- 60 g de beurre
- 4 ronds de feuilletage de 8 cm de diamètre et 3 mm d'épaisseur
- 1 jaune d'œuf
- Sel
- Poivre du moulin

Préparation

Effeuiller le chou et le blanchir pendant quelques minutes à l'eau bouillante. L'égoutter et bien le presser.

Éplucher et hacher l'oignon.

Dans un sautoir, faire fondre le beurre, mettre à revenir sans coloration l'oignon et les lardons. Ajouter le chou et cuire à couvert pendant 20 minutes. Faire refroidir et disposer des petits tas de 60 grammes de chou sur une assiette.

Sur chaque rond de feuilletage, disposer un suprême de pigeon assaisonné, un morceau de 50 g de foie gras, un petit tas de chou, quelques lamelles de truffes et finir par une cuisse de pigeon désossée et assaisonnée. Fermer le tout en formant un chausson. À l'aide d'un pinceau, badigeonner les chaussons de jaune d'œuf battu, puis laisser reposer 2 heures minimum au frais.

Cuire les chaussons 20 minutes au four à 220 °C et les déguster avec une salade.

Les herbes de Provence

Arbrisseau aux feuilles odoriférantes, de la famille des Labiées (sauge, lavande, menthe, romarin), le thym pousse en abondance dans la garrigue (dans le haut Var notamment). Baptisé << farigoule >> en Provence, il est le cousin germain du serpolet (thym bâtard ou thym rouge), mais sans présenter pour autant les mêmes propriétés gustatives. Herbe aromatique parmi les plus prisées, le thym doit être cueilli au début de la floraison (mai-juin), parfois l'hiver, et suspendu en bouquets dans un lieu bien ventilé où il séchera, avant d'être effeuillé et placé dans un bocal. Fidèle complice du laurier qu'il accompagne dans le célèbre << bouquet garni >> (avec le persil également), le thym parfume remarquablement civets, marinades de gibier, pot-au-feu, ragoûts, poissons au court-bouillon (le thym citron est idéal), pâtes, grillades et autres sauces à base de vin rouge. Sachez aussi que le thym recèle nombre de vertus médicinales (diurétiques, antirhumatismales ou antalgiques) et combat même efficacement rhume, grippe, angine ou bronchite !

Meringue aux framboises

Ingrédients
(pour 40 petites meringues)

- 125 g de blanc d'œuf
- 250 g de sucre semoule
- Les graines de 3 gousses de vanille
- 250 g de framboises
- 50 g de confiture de framboise
- 1/4 l de crème pâtissière
- 50 g de crème fleurette

Préparation

Dans le bol d'un robot, monter les blancs en neige avec la moitié du sucre et les graines de vanille. Dès que les blancs sont bien fermes, incorporer délicatement le reste du sucre à l'aide d'une spatule. Déposer le mélange dans une poche à pâtisserie n°14 et composer de petits puits sur une plaque à pâtisserie recouverte de papier sulfurisé. Mettre au four à 120°C durant 1h30, puis continuer la cuisson à 80°C (four entrouvert) durant toute la nuit. Laisser refroidir sur une grille.

Préparation de la crème mousseline

Passer au tamis la crème pâtissière avec la confiture. Monter la crème en chantilly et mélanger le tout. Garnir les meringues de crème mousseline et déposer une framboise sur chacune d'entre elles.

Tuiles aux amandes

Ingrédients
(pour 4 personnes)

- 125 g d'amandes effilées
- 1 cuillerée à café de vanille en poudre
- 125 g de sucre semoule
- 2 blancs d'œufs
- 25 g de beurre
- 20 g de farine tamisée

Préparation

Mélanger les amandes, la vanille en poudre, le sucre et les blancs d'œufs.

Faire fondre le beurre et l'incorporer au mélange. Réserver au frais pendant 12 heures en couvrant d'un film alimentaire. Ajouter la farine tamisée et mélanger.

Sur une plaque à pâtisserie, disposer une demi-cuillerée à soupe de pâte et l'étaler avec le dos de la cuillère en cercle d'environ 10 centimètres de diamètre. Renouveler l'opération en espaçant bien la pâte à chaque fois.

Cuire au four à 160 °C durant 12 minutes environ. Décoller les tuiles à chaud à l'aide d'une spatule et les déposer sur un rouleau à pâtisserie afin de leur donner une forme arrondie.

Moelleux au chocolat chaud, sauce caramel

Ingrédients
(pour 4 personnes)

- 250 g de chocolat noir (54 % minimum)
- 6 œufs
- 80 g de farine tamisée
- 400 g de sucre semoule
- 1 dl de crème
- 170 g de beurre
- 25cl d'eau

Préparation

Pour la sauce caramel : faire fondre 200 grammes de sucre avec 25 centilitres d'eau, puis ajouter 50 grammes de beurre et la crème. Réserver.

Pour le moelleux : faire fondre le chocolat et 120 grammes de beurre au bain-marie. Mélanger le sucre et les œufs au fouet afin que le mélange blanchisse. Hors du feu, incorporer le chocolat fondu au mélange précédent, puis ajouter la farine tamisée.

Remplir à moitié avec l'appareil à chocolat des moules individuels légèrement beurrés et farinés et cuire au four à 220 °C durant 8 minutes environ.

Démouler au centre d'une assiette, puis napper de sauce caramel le contour de l'assiette.

Glace vanille

Ingrédients
(pour 4 personnes)

- 4 dl de lait
- 2 dl de crème fleurette
- 7 jaunes d'œufs
- 100 g de sucre semoule
- 4 gousses de vanille

Préparation

Fendre les gousses de vanille en deux et les gratter avec la pointe d'un couteau afin d'ôter les graines.

Porter à ébullition le lait, la crème et les graines de vanille.

Dans un saladier, mélanger les jaunes d'œufs et le sucre. Battre vigoureusement jusqu'à ce que le mélange blanchisse. Incorporer le lait bouillant à l'aide d'un fouet. Passer au tamis.

Réserver au frais, puis faire tourner la glace dans une sorbetière.

Salade de fruits du mendiant

Ingrédients
(pour 4 personnes)

- 12 pruneaux
- 16 abricots secs
- 4 cuillerées à soupe de raisins secs blancs
- 8 poires séchées
- 4 figues séchées
- 1 ananas
- 100 g de sucre en poudre
- 100 g de beurre

Pour le sirop
- 400 g de sucre semoule
- 12 dl d'eau
- 3 dl de rhum brun
- 1 bâton de cannelle
- Le zeste d'une orange
- Le zeste d'un citron
- 2 gousses de vanille

Préparation

La veille, faire macérer pruneaux, abricots, raisins, poires et figues durant 24 heures dans de l'eau chaude.

Couper l'ananas en quatre grosses rondelles épaisses et en extraire la chair. Fendre les gousses de vanille en deux dans le sens de la longueur et les gratter avec la pointe d'un couteau, afin d'ôter les graines. Mettre tous les ingrédients de la préparation du sirop ainsi que les écorces des rondelles d'ananas dans une grande casserole. Porter à ébullition 5 minutes. Égoutter les rondelles et réserver au chaud.

Faire pocher pruneaux, abricots, raisins, poires et figues ensemble dans le sirop 15 minutes environ.

Couper la chair d'ananas en gros cubes et faire revenir ceux-ci dans une poêle avec le beurre. Ajouter ensuite le sucre et faire caraméliser.

Disposer dans l'assiette, l'écorce d'ananas, les cubes d'ananas rôti, puis les fruits pochés. Arroser de sirop. Servir avec une boule de glace vanille et une tuile aux amandes (voir recettes ci-dessus et p. 92).

Recettes d'Automne

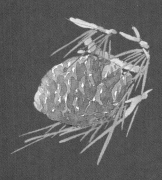

Barigoule de légumes d'automne

Ingrédients
(pour 4 personnes)

- 2 endives
- 2 carottes
- 1/2 céleri boule (céleri-rave)
- 4 salsifis
- 4 artichauts violets
- 300 g de crosnes
- 600 g de poitrine demi-sel en lardons
- 6 champignons de Paris bruns

- 1 cuillerée à café de thym
- 8 filets d'anchois à l'huile
- 1 oignon haché
- 8 gousses d'ail hachées
- 1 dl d'huile arachide
- 8 dl de vin blanc
- 5 dl d'eau
- 12 pluches de coriandre
- Sel
- Poivre du moulin

Préparation

Laver et éplucher tous les légumes.

Couper les endives en deux, les carottes en bâtonnets de 5 centimètres, le céleri boule en quatre et faire blanchir le tout quelques minutes dans de l'eau bouillante salée. Couper les salsifis en morceaux de 5 centimètres. Enlever les feuilles des artichauts, le foin des cœurs et les couper en quatre.

Une fois les crosnes épluchés, les mettre dans un seau avec du gros sel, recouvrir d'un couvercle, puis secouer vigoureusement. Rincer et réserver.

Dans un sautoir, faire revenir, sans coloration les anchois, l'oignon, l'ail, le thym et la poitrine demi-sel. Ajouter ensuite le vin blanc et l'eau. Porter à ébullition et ajouter les artichauts, les salsifis, le céleri boule, les endives, les crosnes, les carottes. Saler, poivrer et faire cuire pendant 15 minutes. En fin de cuisson, incorporer les champignons coupés en quatre, les pluches de coriandre et laisser cuire encore quelques minutes. Servir très chaud.

Brouillade d'oursins et beignets d'anémone de mer

Ingrédients
(pour 4 personnes)

- 2 douzaines d'oursins
- 6 anémones de mer
- 100 g de farine
- 200 g de chapelure
- 9 œufs
- 50 g de persil haché
- 1 dl de crème
- 100 g de beurre

Préparation

Pour les beignets d'anémone : couper les anémones en deux, les rincer, les égoutter et les sécher. Les fariner, puis les passer dans un œuf battu et pour finir, les paner avec la chapelure mélangée au persil. Les dorer dans une poêle de chaque côté et réserver au chaud.

Pour la brouillade d'oursins : ouvrir les oursins et en extraire le corail. Rincer les coquilles et les réserver.

Battre les œufs et y incorporer la moitié du corail. Les cuire au bain-marie sans cesser de remuer à l'aide d'une spatule en bois, et ce, pendant quelques minutes. Incorporer la crème et arrêter la cuisson.

Dresser la brouillade dans les coquilles et parsemer du reste de corail. Servir les beignets d'anémone de mer à part.

L'oursin

Sur les centaines d'espèces d'oursins recensées aux quatre coins de la planète, seules deux ou trois sont comestibles. En Méditerranée, la variété, dont nous dégustons en abondance les glandes reproductrices ou << gonades >>, se nomme Paracentrotus lividus, un oursin aux reflets bruns, verts ou violets qui vit à faible profondeur dans les herbiers ou sur les roches.

On le ramasse surtout les mois en << r >>, sauf en septembre, rituellement réservé aux professionnels. Mais la meilleure période se situe durant le premier trimestre, lorsqu'ils sont bien pleins. Le nom de << hérisson-coquillage >> que lui donna Victor Hugo, lui sied davantage, eu égard aux subtils effluves que ladite variété exhale. Haro en revanche sur Mouline, Capela et autre Diadème, échinodermes impropres à la consommation, voire toxiques. Même si l'oursin ne nécessite aucune cuisson, ni préparation particulière, même s'il se mange le plus souvent cru et nature (ou avec un peu de citron), notre << châtaigne de mer >> peut être utilisée dans diverses recettes.

Ainsi, le corail d'oursin entre-t-il dans l'élaboration des célèbres beurre, crème et huile d'oursin, le plus souvent confectionnés pour agrémenter rougets, loups, daurades, langoustines, poissons de roche, huîtres ou Saint-Jacques. Avec des oeufs brouillés, sous forme d'omelette ou encore soufflé ; dans une soupe de poissons, en guise de rouille – avec la bouillabaisse par exemple –, l'oursin se révèle un partenaire de choix. Une précaution cependant, notre fruit de mer – dont les piquants doivent être fermes et intacts à l'achat – supporte mal la cuisson. Aussi faut-il toujours dans le cas d'une brouillade notamment, incorporer votre corail en fin de préparation.

Autre conseil : ne pas conserver vos oursins plus d'une journée au réfrigérateur. Les << vrais >> amateurs n'ont pas ce problème, ils vous diront qu'un oursin ne sera jamais meilleur que savouré, les pieds dans l'eau, avec un peu de pain frais, un verre de vin blanc ou de rosé à la main et un couteau – ou une pince spéciale – dans l'autre. Certainement, mais essayez donc cette recette provençale toute simple qui préconise de mettre trois oursins dans une coquille, d'y ajouter seulement un jaune d'oeufs et de passer le tout au four environ deux minutes. Un délice ! Enfin, évitez de manger vos oursins à la petite cuillère, préciosité impardonnable qui vous vaudrait le sobriquet de << délicat >> ou pire encore de << touriste >>...

Les rastègues

Comparées aux très médiatiques oursins ou aux exquises soupes d'esquinades (araignées de mer) et de favouilles (petits crabes), les << actinies >>, au nom guère engageant, ne peuvent certes rivaliser. Nombre de pêcheurs ne connaissent même pas ce mot. En revanche, parlez-leur de rastègues ou d'anémones de mer et leurs regards s'éclaireront soudain.

Mais pour autant, ils jureront ne pouvoir vous en vendre ! En effet, la rastègue est rarissime et souvent considérée comme le << foie gras du pêcheur >>. Elle se ramasse à la main, le plus souvent avec une fourchette (pliée à 90°) placée au bout d'un bambou ; non en haute mer, mais sur les littoraux où elle vit sédentairement, accrochée aux rochers par des tentacules urticantes (d'où son autre surnom d'<< ortie de mer >>). Aussi faut-il inspecter patiemment le moindre interstice rocheux pour dénicher ce polype flasque, peu présentable sur l'étal d'un poissonnier, mais tellement goûteux. Attention, songez à porter des gants avant de toucher une rastègue. Cuite, elle ne présente évidemment plus le moindre danger.

Christophe Pétra adore chiner ces petits trésors méconnus et oubliés. Toutefois, et afin de préserver l'espèce, il ne pêche que très parcimonieusement la rastègue ; en des lieux qu'il garde secrets depuis sa plus tendre enfance. Tel un orpailleur scrutant les alluvions aurifères, il part en quête de cet or aux reflets violacés qu'il accommode de mille façons. En beignets par exemple, dans une soupe de poissons au safran ou en brouillade. Il aime aussi paner ses rastègues avec une chapelure à la provençale, les additionner d'ail et de persil, avant de les cuire au beurre clarifié et de les passer au four.

À l'apéritif, c'est un pur régal !

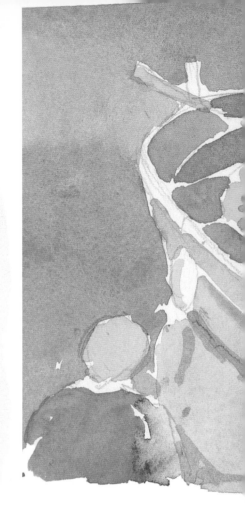

Soupe de poissons

Ingrédients
(pour 4 personnes)

Pour la soupe
- 2 kg de poissons soupe
- 1 fenouil
- 1 vert de poireau
- 1 oignon
- 3 gousses d'ail

- 2 tomates
- 1 cuillerée à soupe de concentré de tomates
- 10 g de safran
- 1dl d'huile d'olive

Pour la rouille
- 200 g de pommes de terre
- 3 gousses d'ail
- 1 piment oiseau
- 10 g de gros sel
- 1 jaune d'œuf
- 1 dl d'huile d'olive
- 1 baguette
- 2 g de safran

Préparation

Rincer le poisson. Éplucher le fenouil et le vert de poireau puis les laver et les couper en morceaux ainsi que l'oignon et l'ail. Dans un faitout, les faire revenir avec un peu d'huile d'olive. Ajouter le concentré de tomates, les tomates coupées en quatre, le safran, le poisson et mouiller avec de l'eau à hauteur. Cuire pendant 20 minutes. Passer la soupe au moulin à légumes, rectifier l'assaisonnement et réserver.

Pour la rouille : éplucher, laver et couper les pommes de terre en morceaux. Les cuire dans la soupe de poissons pendant 10 minutes. Écraser ensuite les morceaux de pommes de terre avec le gros sel, l'ail et le piment oiseau. Incorporer le jaune d'œuf, l'huile d'olive, le safran et 1 décilitre de soupe chaude.

Faire des croûtons grillés avec la baguette, puis les frotter à l'ail.

Risotto de potiron et girolles

Ingrédients
(pour 4 personnes)

- 400 g de potiron
- 500 g de girolles
- 400 g de riz rond
- 70 g d'oignons hachés
- 20 g d'ail haché
- 40 g d'échalotes hachées
- 40 g de persil
- 100 g de parmesan râpé
- 2 dl de vin blanc
- 1 dl de bouillon de volaille
- 2 dl de crème
- 150 g de beurre
- Sel
- Poivre du moulin

Préparation

Faire fondre 75 grammes de beurre et y faire revenir les oignons et l'ail, sans coloration. Incorporer le riz et déglacer avec le vin blanc. Faire bouillir le bouillon de volaille, l'ajouter délicatement au riz et faire cuire 12 minutes à feu doux. Ajouter ensuite la crème et le parmesan. Réserver.

Cuire le potiron coupé en dés, dans une casserole d'eau salée durant 30 minutes, l'écraser à la fourchette et l'incorporer au risotto juste avant de servir.

Cuire les girolles pendant 5 minutes dans une poêle en les salant légèrement pour qu'elles rejettent leur eau. Faire réduire le jus, puis le monter avec le reste du beurre. Poêler les girolles avec échalotes et persil pendant quelques minutes.

Dresser le risotto au centre de l'assiette, déposer les girolles dessus et napper de sauce le contour de l'assiette.

Terrine de foie gras

Ingrédients
(pour 8 personnes)

- 2 lobes de foie gras de 600 g chacun
- Sel
- Poivre du moulin

Préparation

Couper les lobes de foie gras en tranches de 3 centimètres d'épaisseur. Les assaisonner de sel et de poivre. Faire chauffer une poêle antiadhésive et y faire dorer les tranches de foie gras quelques minutes de chaque côté. Les superposer ensuite dans une terrine, mettre le couvercle et cuire au bain-marie durant 8 minutes au four à 220 °C.

Sortir ensuite la terrine, ôter le couvercle et déposer à la place une planche recouverte de papier aluminium et lester de poids. Laisser reposer pendant 15 minutes, puis mettre au frais durant 24 heures.

Récupérer une partie de la graisse qui a coulé autour de la terrine, la faire fondre, puis en arroser le foie gras. Laisser reposer 12 heures et servir.

Doubles côtes de veau bourgeoise

Ingrédients
(pour 4 personnes)

- 2 côtes de veau épaisses de 600 g chacune (avec leurs parures)
- 1/2 céleri boule
- 4 carottes moyennes
- 12 oignons grelots
- 8 gousses d'ail
- Fleur de thym
- 3 dl d'eau
- 50 g de beurre
- 1 cuillerée à soupe d'huile

Préparation

Fariner les côtes de veau et les assaisonner de fleur de thym.

Éplucher le céleri boule et le couper en quatre. Éplucher les carottes, les oignons et les faire blanchir dans de l'eau bouillante. Éplucher les gousses d'ail, les couper en deux et retirer le germe.

Faire chauffer l'huile dans une sauteuse et saisir la viande des deux côtés. Ajouter les parures, les légumes et cuire doucement à couvert pendant 30 minutes. Réserver les côtes de veau et les légumes. Laisser les parures dans la poêle et déglacer avec l'eau. Ajouter ensuite le beurre et passer le jus à l'étamine.

Remettre la viande et la garniture dans la sauteuse, arroser du jus et servir au centre de la table.

On peut l'accompagner avec une polenta aux pignons (voir recette p. 112).

Brandade de cabillaud demi-sel, ail confit

Ingrédients
(pour 4 personnes)

- 1 filet de cabillaud de 600 g
- 500 g de pommes de terre ratte
- 1 botte de ciboulette ciselée
- 1 tête d'ail
- 500 g de gros sel
- 3 dl d'huile d'olive
- 50 g de beurre

Préparation

Lever la peau du filet de cabillaud. Saupoudrer de gros sel les deux côtés du filet et laisser reposer durant 20 minutes. Rincer et sécher sur un linge. Détailler le filet en quatre pavés.

Éplucher, laver et couper les pommes de terre en morceaux. Les plonger dans de l'eau bouillante avec le beurre et les cuire pendant 15 minutes. Les écraser à la fourchette en incorporant un peu d'huile d'olive et la ciboulette ciselée.

Éplucher l'ail, l'égermer et le laisser confire dans l'huile d'olive pendant 40 minutes.

Verser une cuillerée à soupe d'huile d'olive dans une poêle et faire dorer les pavés de cabillaud.

Dresser la purée au centre de l'assiette, disposer l'ail confit autour et le pavé de cabillaud sur la purée.

La morue

Bien que pêchée loin, très loin des côtes méditerranéennes, dans les eaux froides de la Baltique, au large du Groenland ou en mer du Nord, la morue, poisson de la famille du merlan et du colin, a toujours été très prisée en Provence. Marseille fut même l'un des plus grands ports morutiers français. A l'époque, la région comptait nombre de sécheries, dont la qualité de la production était remarquable. Le climat permettait de réaliser un séchage et un salage parfaits ; opérations sans lesquelles une bonne conservation est illusoire. Consommé frais, notre imposant poisson − jusqu'à 50 kg et 1, 50 m − se nomme « cabillaud » ; salé, il devient une « morue verte » et séché, une « merluche ». Poisson maigre et hautement diététique (moins de 100 kcal pour 100 g et à peine 1 % de lipides), la morue est réputée assez facile à cuisiner. Pochée, braisée, grillée ou cuite à la vapeur, il suffit de ne pas la brutaliser pour réussir son plat. À l'achat, la choisir assez épaisse.

On la trouve aisément dans le commerce, mais la meilleure doit être proposée éviscérée, le poitrail bien ouvert, séchée et salée dans les règles de l'art. En ce qui concerne son dessalage − douze heures au minimum − votre poissonnier vous expliquera ce qu'il convient de faire. Il reste bien sûr la morue surgelée et empaquetée, certes bon marché, mais tellement moins goûteuse. Et pourtant, de par la fermeté et la densité de sa chair, le cabillaud est l'un des seuls poissons à bien supporter le froid. Il peut se cuisiner de moult manières. A Nîmes, on le déguste dans la brandade, dont la cité gardoise demeure la capitale. La morue est tout aussi succulente en raïto − sauce au vin, huile d'olive et câpres ; à l'aïoli ou bien encore accompagnée de pommes de terre, d'aubergines, de tomates, d'olives ou de poireaux. Il reste enfin l'huile de son foie, au goût si particulier.

Coquilles Saint-Jacques rôties, risotto de céleri aux truffes et dentelle de parmesan

Ingrédients
(pour 4 personnes)

- 20 coquilles Saint-Jacques
- 150 g de truffes
- 1/2 céleri-rave
- 400 g de riz rond
- 150 g de parmesan râpé
- 100 g d'oignons hachés
- 30 g d'ail haché
- 1 l de bouillon de volaille
- 3 dl de vin blanc
- 6 dl de crème fraîche
- 4 œufs de caille

Préparation

Couper les noix de Saint-Jacques en trois et y intercaler les lamelles de truffes.

Éplucher et couper en morceaux le céleri-rave. Le cuire à point durant 30 minutes dans 4 décilitres de crème et rajouter de l'eau à hauteur. Mixer le tout avec un peu de jus de cuisson afin d'obtenir une purée. La passer ensuite au tamis (très fin).

Dans une casserole, faire revenir les oignons et l'ail dans du beurre, sans coloration. Ajouter le riz, le vin blanc et mouiller petit à petit avec le bouillon de volaille chaud. Crémer le risotto avec la crème restante et ajouter un peu de parmesan.

Faire cuire dans une poêle antiadhésive le reste du parmesan, finement râpé, pour réaliser une dentelle.

Faire rôtir les coquilles à l'unilatéral 5 minutes à couvert avec une cuillerée d'huile d'olive, puis les saisir légèrement de l'autre côté.

Dresser le risotto au centre d'une assiette, le parsemer de quelques lamelles de truffes. Disposer les Saint-Jacques autour, puis déposer un jaune d'œuf de caille cru sur le risotto. Arroser les Saint-Jacques du jus de cuisson de céleri, légèrement réduit et truffé.

Polenta aux pignons

Ingrédients
(pour 4 personnes)

- 200 g de semoule de maïs extrafine
- 150 g de pignons
- 6 dl de bouillon de volaille
- 4 dl de crème liquide
- 100 g de beurre

Préparation

Chauffer une poêle antiadhésive et dorer les pignons sur chaque face en remuant sans cesse.

Dans une casserole, porter à ébullition le bouillon de volaille et la crème, puis incorporer la semoule de maïs en pluie à l'aide d'un fouet. Cuire 40 minutes environ en prenant soin de remuer le mélange toutes les 10 minutes avec une spatule en bois et en ajoutant petit à petit des morceaux de beurre. Assaisonner et ajouter les pignons dorés.

Le Pignon de pin

Le pignon de pin est une graine oblongue qui se niche dans les écales de la pomme (« la pigne ») du pin parasol, arbre productif après vingt-cinq ans d'existence. Lorsqu'il est bien mûr, le pignon tombe au sol et s'ouvre en chutant. La récolte est entièrement manuelle, d'où une relative cherté de cette petite graine, riche en lipides. Moulu, cru ou cuit, le pignon est utilisé dans l'apprêt de certaines viandes, de diverses farces, salades, poissons et pâtisseries. Très présent dans les cuisines indienne et moyen-orientale, il est couramment employé en Provence dans des desserts tels que la fameuse tarte éponyme, additionnée d'amandes, de fruits confits, de raisins secs, de rhum ou de vieux marc. Il est aussi l'un des ingrédients phares du pesto gênois, cousin de notre pistou. Le pignon est meilleur si on le torréfie légèrement à sec dans une poêle avant utilisation ; sauf s'il doit cuire dans votre recette. Il permet aussi de relever un peu les mets dans lesquels il est introduit. On peut le remiser au réfrigérateur, mais pas trop longtemps car le pignon de pin rancit malheureusement très vite.

Sauté d'agneau à la tomate et aux olives

Ingrédients
(pour 4 personnes)

- 600 g d'épaule d'agneau
- 4 tomates
- 2 oignons moyens
- 5 gousses d'ail
- 100 g d'olives noires niçoises
- 1 brindille de thym
- 2 cuillerées à soupe de basilic (grossièrement concassé)
- 1 cuillerée à soupe de farine
- 2 dl de vin blanc sec
- 3 cuillerées à soupe d'huile d'olive
- Sel
- Poivre du moulin

Préparation

Faire couper en morceaux par le boucher 600 g d'épaule d'agneau (prévoir 3 morceaux par personne). Laisser un petit peu de gras. Saler et poivrer les morceaux d'agneau sur chaque face.

Peler les oignons et les couper en quatre. Peler les gousses d'ail, les fendre en deux et les égermer. Peler et épépiner les tomates et les couper en quatre.

Faire chauffer l'huile d'olive dans un large poêlon, puis disposer les morceaux d'agneau sans les chevaucher. Les colorer de chaque côté et les égoutter sur une grille.

Dans le poêlon, faire blondir les oignons et les gousses d'ail 4 à 5 minutes dans le gras et les sucs de cuisson des morceaux d'agneau. Remettre la viande, saupoudrer le tout de farine et bien mélanger. Ajouter ensuite le vin blanc, puis bien racler le fond du poêlon afin de récupérer tous les sucs. Laisser réduire de moitié sur feu doux en remuant régulièrement.

Joindre alors les tomates, le thym, les olives, puis mouiller à hauteur d'eau. Laisser frémir et mijoter à couvert pendant 1 heure en remuant de temps en temps. Une fois la cuisson terminée, ajouter le basilic et rectifier l'assaisonnement. Déguster sans attendre.

Gnocchis de châtaignes

Ingrédients
(pour 4 personnes)

- 1 kg de vieilles pommes de terre
- 300 g de farine de châtaigne
- 1 œuf
- 1 jaune d'œuf
- 50 cl d'huile d'olive
- Sel
- Poivre du moulin

Préparation

Laver les pommes de terre et les cuire dans de l'eau bouillante salée pendant 20 minutes environ.

Les éplucher, les mouliner, puis ajouter l'huile d'olive, la farine de châtaigne, l'œuf entier et le jaune. Mélanger le tout pour obtenir une pâte compacte.

La diviser en quatre et former avec chaque morceau, un cordon d'1 centimètre de diamètre. Détailler dans chaque cordon des morceaux de pâte de 2 centimètres et les rouler les uns après les autres sur une fourchette pour former les gnocchis.

Faire bouillir de l'eau salée et y plonger les gnocchis. Dès qu'ils remontent à la surface, ils sont cuits et vous pouvez les égoutter.

Les disposer ensuite dans un plat et les arroser éventuellement, du jus des brochettes de lapin.

Lièvre à la royale à ma façon

Ingrédients
(pour 4 personnes)

- 1 lièvre
- 200 g de crépine
- 300 g de foie gras coupé en gros dés
- 20 g de truffes hachées
- 2 l de vin rouge
- 2 carottes
- 2 oignons

- 2 branches de céleri
- 4 gousses d'ail
- 1 branche de thym
- 2 feuilles de laurier
- 1 dl d'huile d'olive
- 60 g de beurre
- 1 l de fond de veau
- 2 dl d'huile d'olive
- Sel
- Poivre du moulin

Pour la farce
- 80 g d'oignons hachés
- 20 g d'ail haché
- 20 cl d'Armagnac
- 200 g de champignons de Paris émincés
- 50 g de persil haché

Préparation

Faire entièrement désosser le lièvre par le boucher en ayant soin de garder le cœur, le foie, les poumons, les rognons, les os et le sang.

Faire mariner le lièvre durant 24 heures dans le vin rouge.

Pour la farce : mettre à revenir dans un poêlon 1 minute, sans coloration, l'oignon, l'ail et les champignons. Ajouter les abats et cuire encore 1 minute, puis flamber avec l'Armagnac. Ajouter le persil et mouliner le tout avec une grille fine. Réserver au frais.

Rincer la crépine et bien la presser, l'étaler sur une planche. Y déposer le lièvre, assaisonner et ajouter la farce, le foie gras et les truffes. Refermer la crépine et attacher avec de la ficelle de boucher, de façon à former un rôti pas trop épais.

Pendant quelques minutes, dans une cocotte, faire doucement revenir à l'huile d'olive le rôti sur toutes ses faces. Disposer les os autour.

Éplucher les carottes, les oignons et les branches de céleri. Couper les carottes et les oignons en quatre et les branches de céleri en gros bâtonnets.

Retirer le rôti de la cocotte et faire revenir sans coloration les légumes pendant quelques minutes. Remettre le rôti et mouiller avec le vin rouge. Ajouter le fond de veau, le laurier et le thym. Cuire à couvert dans un four à 100 °C durant 6 heures, en surveillant de temps en temps.

Une fois la cuisson terminée, retirer le rôti et sa garniture, puis passer le jus à l'étamine dans une casserole. Remettre le rôti et la garniture dans la cocotte, ajouter le sang, le beurre et chauffer quelques instants, sans faire bouillir. Servir avec des tagliatelles fraîches.

Figues rôties au vin rosé

Ingrédients
(pour 4 personnes)

- 12 belles figues violettes
- 75 cl de vin rosé
- Le zeste et le jus d'1 orange
- Le zeste et le jus d'1 citron
- 1 bâton de cannelle
- 1 gousse de vanille
- 75 cl de vin rosé
- 200 g de sucre semoule
- 50 g de pignons

Préparation

Gratter le bâton de cannelle, puis couper la gousse de vanille en deux, dans le sens de la longueur.

Dans une casserole, faire chauffer le vin quelques minutes. Ajouter les zestes de citron et d'orange, la cannelle et la vanille, puis cuire 15 minutes. Laisser infuser le tout durant 30 minutes.

Faire une incision sur chaque figue. Les poser bien droites dans une cocotte, ajouter le sucre semoule, les pignons, les jus de citron et d'orange, puis mouiller à hauteur avec la préparation au vin. Cuire pendant 20 minutes à feu doux et laisser refroidir.

Servir à température ambiante.

NB : vous pouvez également accompagner ce dessert d'une glace à la vanille (voir recette p. 95).

La figue

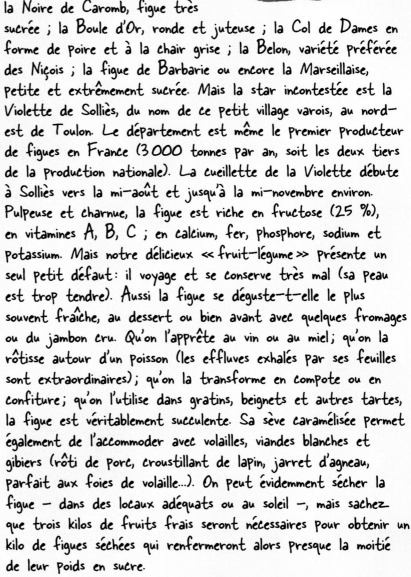

Avec l'olive, la figue, originaire d'Asie Mineure, est le plus ancien fruit du monde. Il en existe de multiples variétés : noire ou brune, rougeâtre, verte, blanche (qu'elle soit globuleuse ou allongée)... Parmi les plus prisées d'entre elles : la Noire de Caromb, figue très sucrée ; la Boule d'Or, ronde et juteuse ; la Col de Dames en forme de poire et à la chair grise ; la Belon, variété préférée des Niçois ; la figue de Barbarie ou encore la Marseillaise, petite et extrêmement sucrée. Mais la star incontestée est la Violette de Solliès, du nom de ce petit village varois, au nord-est de Toulon. Le département est même le premier producteur de figues en France (3 000 tonnes par an, soit les deux tiers de la production nationale). La cueillette de la Violette débute à Solliès vers la mi-août et jusqu'à la mi-novembre environ. Pulpeuse et charnue, la figue est riche en fructose (25 %), en vitamines A, B, C ; en calcium, fer, phosphore, sodium et potassium. Mais notre délicieux « fruit-légume » présente un seul petit défaut: il voyage et se conserve très mal (sa peau est trop tendre). Aussi la figue se déguste-t-elle le plus souvent fraîche, au dessert ou bien avant avec quelques fromages ou du jambon cru. Qu'on l'apprête au vin ou au miel; qu'on la rôtisse autour d'un poisson (les effluves exhalés par ses feuilles sont extraordinaires); qu'on la transforme en compote ou en confiture; qu'on l'utilise dans gratins, beignets et autres tartes, la figue est véritablement succulente. Sa sève caramélisée permet également de l'accommoder avec volailles, viandes blanches et gibiers (rôti de porc, croustillant de lapin, jarret d'agneau, parfait aux foies de volaille...). On peut évidemment sécher la figue — dans des locaux adéquats ou au soleil —, mais sachez que trois kilos de fruits frais seront nécessaires pour obtenir un kilo de figues séchées qui renfermeront alors presque la moitié de leur poids en sucre.

Madeleines au miel de bruyère

Ingrédients
(pour 4 personnes)

- 125 g de miel de bruyère (ou autre)
- 200 g de farine tamisée
- 5 œufs
- 4 jaunes d'œufs
- 125 g de sucre
- 280 g de beurre clarifié
- 8 g de levure
- 1 pincée de sel

Préparation

Mélanger la farine tamisée, le sucre, la levure et le sel.

Battre les œufs entiers et les jaunes. Les incorporer délicatement au mélange. Ajouter le miel et le beurre clarifié légèrement fondu et laisser reposer à température ambiante pendant 3 heures.

Beurrer et fariner légèrement des moules à madeleine, les remplir aux trois quarts de pâte et cuire au four à 200 °C pendant 10 minutes environ.

Démouler dès la sortie du four et réserver au chaud sur une assiette recouverte d'un film alimentaire (afin d'éviter qu'elles ne sèchent).

Soufflé au chocolat

Ingrédients
(pour 2 personnes)

- 300 g de chocolat
- 30 g de Maïzena
- 3 dl de lait
- 150 g de sucre semoule
- 6 jaunes d'œufs
- 10 blancs d'œufs
- 80 g de beurre
- 60 g de sucre glace

Préparation

Diluer la Maïzena dans le lait froid, puis faire bouillir. Faire fondre le chocolat au bain-marie. Mélanger 120 g de sucre avec les jaunes d'œufs à l'aide d'un fouet, jusqu'à ce que le mélange blanchisse. Monter les blancs d'œufs en neige (bien fermes).

Incorporer ensuite la moitié du chocolat avec le mélange jaunes d'œufs-sucre, puis l'autre moitié du chocolat avec la moitié des blancs en neige. Mélanger délicatement les deux préparations à l'aide d'une spatule en bois et ajouter le reste des blancs en neige.

Beurrer généreusement de petits moules à soufflé, puis les sucrer avec les 30 grammes de sucre restants. Ôter éventuellement l'excédent de sucre en secouant les moules. Déposer le soufflé au chocolat dans chaque moule et cuire au four durant 8 minutes à 180 °C.

Servir dès la sortie du four et saupoudrer de sucre glace.

Tarte à la rhubarbe et à la cannelle

Ingrédients
(pour 6 personnes)

- 600 g de rhubarbe
- 1 pâte brisée
- 2 bâtons de cannelle
- Le zeste d'une orange
- Le zeste d'un citron
- 50 g de sucre semoule

Pour le flan
- 6 œufs
- 150 g de sucre semoule
- 1 l de lait

Préparation

Pour le flan : dans un saladier, battre les œufs et le sucre jusqu'à ce que le mélange blanchisse. Ajouter le lait. Réserver.

Pour la tarte : éplucher les côtes de rhubarbe et les tailler en bâtonnets. Faire frémir une casserole d'eau, ajouter les zestes d'agrumes, les bâtons de cannelle ainsi que la rhubarbe et faire cuire pendant 10 minutes. Réserver dans leur sirop.

Abaisser la pâte, la mettre dans une tourtière beurrée, la recouvrir de papier d'aluminium et remplir de lentilles : ceci évitera à la pâte de se déformer. Cuire au four à 180 °C pendant 15 minutes.

Une fois cuite, jeter la feuille d'aluminium et les lentilles. Disposer la rhubarbe sur la pâte brisée et verser le flan par-dessus. Remettre au four à 180 °C durant 15 minutes, puis saupoudrer de sucre et repasser au four 2 minutes environ pour la glacer. Elle sera plus brillante et encore plus appétissante. Servir tiède.

Petite astuce : afin qu'elle puisse se conserver quelques jours, sans trop ramollir, entreposez votre rhubarbe dans une pièce fraîche. Conservez-la bien serrée dans un papier journal. Évitez si possible le réfrigérateur.

Recettes
d'Hiver

Cappuccino de pétoncles, cèpes et truffes

Ingrédients
(pour 4 personnes)

- 200 g de pétoncles
- 400 g de cèpes
- 50 g de truffes d'été râpées
- 50 g d'oignons hachés
- 2 dl de bouillon de volaille
- 4 dl de crème
- 20 g de beurre

Préparation

Faire fondre le beurre dans une casserole puis y faire revenir l'oignon haché, sans coloration. Ajouter les cèpes, le bouillon de volaille et faire cuire 5 minutes. Ajouter ensuite la crème et laisser mijoter 15 minutes à feu doux. Mixer le tout.

Faire revenir les pétoncles dans une poêle, bien les colorer. Les répartir ensuite dans des tasses à café, ajouter la crème de cèpes et pour terminer, parsemer de truffes râpées.

Crème de courgettes

Ingrédients
(pour 4 personnes)

- 4 courgettes moyennes
- 2 dl de crème liquide
- 50 g de beurre
- Quelques pluches de cerfeuil
- 1/2 l de bouillon de volaille
- Sel
- Poivre du moulin

Préparation

Laver les courgettes et couper les extrémités. Couper 2 courgettes en tronçons de 5 centimètres, puis prélever la peau dans la longueur en laissant 1/2 centimètre d'épaisseur de chair environ et la tailler en grosse julienne. Couper ensuite les 2 autres courgettes, non pelées, en gros dés. Les plonger dans le bouillon de volaille à ébullition et cuire 20 à 25 minutes à feu doux.

Fouetter 1 décilitre de crème dans un récipient placé dans un plus grand, contenant des glaçons. Réserver au réfrigérateur.

Dans un poêlon faire chauffer le beurre sans coloration, ajouter la julienne de courgettes et faire suer 3 à 4 minutes sur feu doux, saler et poivrer en fin de cuisson. La julienne doit être légèrement ferme et croquante. Réserver sur feu éteint.

Mixer les courgettes avec le bouillon de volaille, puis incorporer le reste de crème liquide. Saler et poivrer.

Prélever la julienne de courgettes du poêlon à l'aide d'une écumoire afin de l'égoutter. La répartir dans 4 assiettes creuses. Verser la crème de courgettes dessus, ajouter délicatement dans chaque assiette une cuillerée à soupe de crème fouettée et décorer avec quelques pluches de cerfeuil.

Pain grillé au caviar d'aubergines

Ingrédients
(pour 4 personnes)

- 2 petites aubergines
- 2 cuillerées à soupe de tapenade
- 4 filets d'anchois à l'huile
- 12 tranches de pain baguette d'1 cm d'épaisseur environ
- 2 dl d'huile d'olive
- 1 cuillerée à soupe de vinaigre de vin rouge
- Sel fin
- Poivre du moulin

Préparation

Préchauffer le four à 220 °C.

Laver les aubergines, les essuyer, retirer les pédoncules et les fendre en deux dans le sens de la longueur. Inciser la chair des aubergines avec un couteau en formant un quadrillage et en prenant soin de ne pas couper la peau.

Les disposer côté peau sur la plaque de cuisson, arroser la chair d'un filet d'huile d'olive, saler, poivrer et cuire au four durant 30 minutes.

Une fois cuites, prélever leur chair à l'aide d'une cuillère à soupe et la mixer avec la tapenade, les filets d'anchois et le vinaigre. Tout en mixant, incorporer petit à petit l'huile d'olive. Réserver 1 heure au réfrigérateur.

Faire griller 12 tranches de pain baguette quelques heures à l'avance puis, au moment de servir, les tartiner généreusement de caviar d'aubergines. Le caviar d'aubergines peut se conserver une semaine au réfrigérateur, recouvert d'un filet d'huile d'olive.

Soupe de potimarron émulsionnée à l'huile d'olive et croûtons au lard

Ingrédients
(pour 6 personnes)

- 2 kg de potimarron
- 6 fines tranches de poitrine de porc
- 2 gros oignons
- 5 gousses d'ail
- 1 bouquet garni
- 6 feuilles séchées de sauge officinale
- 2 dl d'huile d'olive vierge extra

- 3 tranches épaisses de pain de campagne au levain
- 2 l de bouillon de poule
- Noix de muscade
- Sel
- Poivre du moulin

Préparation

Ôter la peau du potimarron, enlever les graines et le détailler en cubes.

Éplucher les gousses d'ail et les oignons et ciseler le tout. Dans une marmite, faire suer les dés de potimarron avec ail et oignons pendant quelques minutes. Verser suffisamment de bouillon de poule pour bien les recouvrir et laisser frémir 20 minutes. Ajouter les feuilles de sauge et laisser cuire encore 10 minutes.

Passer la soupe dans un moulin à légumes, saler, poivrer, ajouter une pincée de noix de muscade et réserver au chaud.

Tailler dans le pain de campagne des croûtons de 2 x 2 centimètres, enrouler autour de ceux-ci des tranches de poitrine salée qui doivent être maintenues par des petits pics en bois. Dorer le tout dans une poêle à feu doux.

Au moment de servir, incorporer l'huile d'olive au fouet pendant au moins 1 minute.

Le Potimarron

Le potimarron est un fruit-légume de la famille de la courge — très proche du potiron — que l'on récolte dès l'automne. Sa peau est rouge orangé et sa chair rappelle le goût de la châtaigne. Choisissez vos potimarrons — ou à défaut potirons — toujours bien fermes. Vous pourrez ainsi les conserver assez longtemps. De quatre à six semaines, si vous les laissez entiers et à température ambiante ou de trois à six mois, en les stockant dans un endroit sec (10 °C environ). Détaillés, ils se conserveront trois ou quatre jours s'ils sont emballés sous film alimentaire et placés dans le bac à légumes de votre réfrigérateur. Sachez enfin que potimarrons et autres courges sont idéals pour accompagner une viande blanche.

Petits poireaux vinaigrette, moelle et lard grillé demi-sel

Ingrédients
(pour 4 personnes)

- 48 petits poireaux
- 8 rondelles de moelle de 2 cm d'épaisseur
- 4 tranches de poitrine demi-sel (pas trop épaisses)
- 2 œufs durs
- 10 g de moutarde
- 40 g d'échalotes hachées
- 40 g de persil plat haché
- 1 cuillerée à café de vinaigre de Xérès
- 1,5 dl d'huile d'olive
- 10 g de poivre de Séchouan
- Sel
- Poivre du moulin

Préparation

Nettoyer les poireaux et les regrouper par 12, puis les attacher avec de la ficelle de cuisine. Les cuire dans de l'eau salée pendant environ 12 minutes, les égoutter et les arroser d'un filet d'huile d'olive.

Pour réaliser la vinaigrette, passer au tamis les œufs durs entiers. Les mélanger avec la moutarde, les échalotes, le persil, le vinaigre de Xérès et l'huile d'olive. Assaisonner et maintenir au bain-marie tiède.

Dans une poêle antiadhésive, saisir les tranches de poitrine quelques minutes d'un seul côté. Les disposer dans un plat à gratin en plaçant la face dorée à l'intérieur du plat. Déposer sur chaque côté 2 rondelles de moelle et ajouter du poivre de Séchouan. Mettre le plat dans le four (position gril) à 180 °C pendant 3 minutes.

Avec chaque botte de poireaux, réaliser 4 nids, les arroser de vinaigrette tiède et déposer par-dessus lard et rondelles de moelle.

Bouillabaisse

Ingrédients
(pour 4 personnes)

- 2 rascasses de 120 g pièce
- 2 vieilles (ou labres) de 150 g pièce
- 1 murène de 300 g
- 2 vives de 200 g pièce
- 8 crabes
- 12 cigalons
- 1 chapon de 450 g
- 1 seiche de 400 g
- 2 galinettes de 200 g pièce
- 1 sar de 500 g
- 600 g de pommes de terre
- 2 tomates
- 2 oignons
- 6 gousses d'ail
- 1 dl d'huile d'olive
- 4 g de safran

Pour la rouille
- 1 dl d'huile d'olive
- 4 gousses d'ail
- 1 piment oiseau
- 4 g de safran
- 1 jaune d'œuf
- 1 baguette
- 1 cuillerée à café de gros sel
- Sel
- Poivre du moulin

Préparation

Faire écailler et vider les poissons par le poissonnier (sauf crabes et cigalons).

Éplucher pommes de terre, ail et oignons. Couper les oignons en quatre. Émincer et égermer l'ail. Couper les pommes de terre et les tomates en rondelles épaisses.

Dans une grande marmite faire revenir quelques minutes les oignons et l'ail avec l'huile d'olive. Mettre les pommes de terre, les tomates et le safran. Dès que la préparation est tiède, ajouter tous les poissons, sauf crabes et cigalons. Mouiller avec de l'eau à hauteur et faire cuire 15 minutes à feu vif. Deux minutes avant la fin de la cuisson, joindre les crabes et les cigalons.

Pour la rouille : se munir de mortier et pilon. Piler le gros sel, l'ail et le piment oiseau. Ajouter 3 morceaux de pommes de terre venant de la bouillabaisse qui est en train de cuire. Piler le tout et incorporer le jaune d'œuf, l'huile d'olive, 1 décilitre de bouillon chaud et le safran. Assaisonner.

Faire des croûtons grillés avec la baguette et les frotter à l'ail.

Dresser la bouillabaisse dans un plat et le bouillon en soupière.

La rascasse

En Provence, la rascasse rouge s'appelle « chapon » ; à ne pas confondre avec ces coqs châtrés, engraissés pour la table; moins encore avec ces délicieux petits croûtons de pain frottés à l'ail que l'on incorpore dans une salade de pissenlits ou de chicorée. La rascasse est aussi nommée « scorpène » ou « crapaud de mer » (à cause de sa grosse tête garnie de piquants venimeux – rasco en provençal veut dire « teigne »). Elle présente une couleur rose cuivré et ne dépasse pas 50 centimètres. Bien que dure et peu goûteuse, sa chair demeure indispensable dans la soupe de poissons et la bouillabaisse, préparations dans lesquelles son fumet fait merveille. Il existe également la rascasse brune, plus petite et beaucoup plus rare que sa cousine, mais dont la chair est en revanche très recherchée. À découvrir également les goûteux « rascassons » que l'on peut lever en filets et préparer comme des rougets de roche.

Chapon farci

Préparation

Faire écailler, vider et ébarber le chapon par le poissonnier en prenant soin de récupérer son foie.

Pour la farce : décortiquer les gambas. Émietter les tranches de pain de mie dans la crème. Hacher le foie du chapon, les échalotes, le persil et la chair des gambas. Mélanger le tout avec le pain de mie et le jaune d'œuf. Assaisonner.

Mettre la farce dans le ventre du chapon. Le disposer dans un plat allant au four et faire trois incisions dans la largeur du poisson, en profondeur, jusqu'à l'arête. Glisser une branche de thym et une feuille de laurier dans chaque incision. Saler, poivrer et badigeonner le poisson d'huile d'olive. Protéger sa queue avec une feuille d'aluminium, de façon à ne pas la brûler lors de la cuisson.

Ébouillanter les tomates quelques minutes, les peler, les couper en deux et les épépiner. Remplir les tomates d'olives et les disposer autour du poisson.

Cuire au four à 180 °C durant 35 minutes en arrosant le chapon toutes les 10 minutes environ. Servir dans le plat de cuisson.

Ingrédients
(pour 4 personnes)

- 1 chapon de 1,2 kg
  (ou des rougets barbets)
- 4 gambas
- 100 g d'échalotes
- 50 g de persil
- 2 tranches de pain de mie
- 1 dl de crème
- 1 jaune d'œuf
- 2 dl d'huile d'olive
- 4 tomates
- 100 g d'olives noires dénoyautées
- 3 branches de thym
- 3 feuilles de laurier
- Sel
- Poivre du moulin

Cigalons braisés aux carottes

Ingrédients
(pour 4 personnes)

- 2 kg de cigalons (ou d'écrevisses)
- 6 carottes
- 3 tomates
- 1 oignon
- 16 gousses d'ail
- 50 g de persil
- 1 bouquet de basilic
- 1 cuillerée à soupe de concentré de tomates
- 1 dl de marc de Provence
- 1 l de vin rosé
- 1 dl d'huile d'olive

Préparation

Éplucher et hacher l'oignon. Éplucher les carottes et les couper en bâtonnets de 5 centimètres de long sur 1 centimètre d'épaisseur. Écraser les gousses d'ail, non épluchées, en appuyant simplement dessus avec la paume de la main.

Plonger les tomates quelques minutes dans l'eau bouillante, les peler, les épépiner et les couper en quartiers. Hacher grossièrement le basilic.

Faire revenir les cigalons dans une cocotte à couvert durant 2 minutes. Séparer ensuite les têtes des queues. Décortiquer les queues et les mettre à chauffer dans la cocotte avec les carapaces pendant quelques minutes.

Ajouter l'oignon, l'ail et faire revenir 3 minutes. Joindre ensuite les carottes, le marc de Provence et faire réduire 3 minutes. Ajouter enfin le vin rosé, le concentré de tomates, le persil, les tomates et cuire pendant 40 minutes à feu doux.

Une fois la cuisson terminée, retirer les carottes et l'ail. Éplucher l'ail. Réserver.

Mouliner les carapaces et la sauce, puis passer à l'étamine (carré de toile ou de laine servant de filtre).

Dans la cocotte, remettre les carottes, l'ail, les queues de cigalons, la sauce et le basilic. Faire chauffer au moment de servir et accompagner de riz ou de spaghettis.

Gratin de pommes de terre aux truffes

Ingrédients
(pour 4 personnes)

- 800 g de pommes de terre BF15
- 40 g de truffes en lamelles
- 6 dl de crème fleurette
- 40 g de beurre
- 1 gousse d'ail
- Noix de muscade
- Sel
- Poivre du moulin

Préparation

Frotter l'intérieur d'un plat à gratin avec la gousse d'ail, le beurrer sur toutes ses faces, puis saler, poivrer et ajouter de la noix de muscade. Déposer la crème dans le plat et faire tiédir doucement sur la gazinière.

Éplucher et laver les pommes de terre. Les tailler en fines rondelles et les disposer les unes après les autres dans le plat à gratin, de façon à bien enrober de crème chaque morceau de pomme de terre. Ajouter les lamelles de truffe et cuire au four à 150 °C pendant 1 heure.

Servir dans le plat de cuisson. Vous pouvez préparer votre plat la veille, il suffira de le réchauffer avant de le déguster.

Purée de pommes de terre aux truffes

Ingrédients
(pour 4 personnes)

- 800 g de pommes de terre BF15
- 80 g de truffes râpées
  (de préférence avec une
  moulinette à fromage)
- 6 dl de lait
- 2 dl de crème
- 120 g de beurre
- Sel
- Poivre du moulin

Préparation

Éplucher, laver et couper les pommes de terre en deux. Les cuire dans le lait durant 20 minutes à feu doux. Mouliner le tout.

Faire bouillir la crème. Remettre la purée dans la casserole, ajouter la crème chaude et le beurre. Assaisonner, puis ajouter les truffes râpées.

La truffe

On la nomme rabasse en Provence, désormais première région productrice de France. Jadis, le Sud-Ouest, qui revendique toujours l'appellation « truffe du Périgord » pour désigner la truffe noire, parvenait à satisfaire l'essentiel de la demande. Aujourd'hui, face à l'engouement que suscite la truffe, la Tuber melanosporum – le nec plus ultra en matière de truffe – se ramasse également en Languedoc, dans le Dauphiné, le bas Vivarais et bien sûr en Haute-Provence (Vaucluse, Alpes-de-Haute-Provence, Var...). Le « diamant noir », massivement issu de truffières naturelles et de quelques plantations récentes de chênes truffiers, se récolte de novembre à début mars. Parmi les nombreux hôtes de la truffe, et hormis chênes blancs ou verts, on recense certains conifères comme le pin sylvestre ; mais également le noisetier, le châtaignier ou le charme. Autre variété de rabasse : la truffe blanche dite « truffe d'été » ou « truffe de la Saint-Jean », récoltée de mai à septembre et qui revêt peu d'intérêt sur le plan gastronomique. Son coût, peu élevé (45 à 50 euros le kilo), témoigne en outre de sa réelle indigence gustative. Un petit conseil : songez à éplucher la truffe d'été, si sa peau est trop épaisse. Autre truffe, mais à éviter celle-là, l'amère Tuber brumale, dont l'étonnante ressemblance avec la truffe noire peut parfois mystifier les plus fins connaisseurs. À proscrire également, et sans la moindre hésitation, la truffe de Chine, noire elle aussi, mais caoutchouteuse et totalement insipide.

Sur le plan culinaire, sachez qu'une truffe cuite perd l'essentiel de son arôme. Les vrais épicuriens ne la dégustent d'ailleurs qu'entière, fraîche et crue. Pour beaucoup, la truffe ne sera jamais meilleure qu'à la croque au sel, en omelette et en brouillade ou simplement accompagnée d'une noisette de beurre frais. Elle est exquise dans les fameuses sauces Régence, Financière et Diplomate ; sans omettre les célèbres garnitures Belle-Hélène, Cardinale et Banquière. Une règle d'or à ne jamais transgresser : détaillez vos truffes qu'au moment de les apprêter. En effet, leurs subtils effluves parfumeraient davantage votre cuisine que votre mets. Pour bien les conserver, placez-les dans un récipient hermétique, au bas de votre réfrigérateur. On peut bien entendu les congeler ou les stériliser, mais il vaut bien mieux les consommer fraîches. Seulement, et après ramassage, il faudra les déguster au plus tard dans la semaine. Les plus belles alliances avec notre champignon se feront autour des viandes blanches, de certains poissons ou fruits de mer, sans oublier pâtes, riz et pommes de terre, partenaires idéaux. Côté légumes, les truffes escortent divinement endive, chou, poireau, céleri-rave, topinambour, asperge...

Tournedos Rossini

Ingrédients
(pour 4 personnes)

- 4 tournedos de 150 g taillés dans le filet
- 400 g de foie gras frais de canard
- 50 g de beurre

Pour la sauce
- 40 g de truffes hachées
- 50 g d'échalotes
- 2 gousses d'ail
- 10 g de poivre concassé
- 1 bouquet de persil haché
- 3 dl de fond de veau
- 1 dl de porto rouge
- 2 dl de vin rouge
- 30 g de beurre
- Sel
- Poivre du moulin

Préparation

Faire cuire les tournedos à votre convenance et les assaisonner.

Couper le foie gras en quatre tranches, les assaisonner et les cuire dans une poêle antiadhésive (chaude et sans matières grasses), en prenant soin de bien les colorer des deux côtés. Dresser le foie gras sur les tournedos, puis napper de sauce aux truffes.

Pour la sauce : éplucher les échalotes et l'ail. Les hacher et les faire revenir avec le beurre sans coloration. Ajouter le poivre concassé, le persil, le porto et le vin rouge. Faire réduire à 80 %, puis ajouter le fond de veau et cuire pendant 5 minutes. Passer ensuite à l'étamine, incorporer les truffes et réserver. Juste avant de servir, monter la sauce avec le beurre au fouet.

Servir éventuellement ce plat avec un gratin de pommes de terre aux truffes (voir recette p. 138).

Pommes de terre écrasées à l'huile d'olive

Ingrédients
(pour 4 personnes)

- 800 g de pommes de terre Mona Lisa
- 50 g de beurre
- 2 dl d'huile d'olive
- 1 botte de ciboulette
- Gros sel
- Poivre du moulin

Préparation

Éplucher, laver et couper en quatre les pommes de terre. Les mettre dans une casserole avec le beurre et une poignée de gros sel. Ajouter de l'eau à hauteur. Recouvrir de papier aluminium en prenant soin de faire un petit trou au milieu en guise de cheminée. Cuire à feu doux jusqu'à évaporation complète de l'eau.

Écraser ensuite les pommes de terre avec une fourchette. Incorporer l'huile d'olive, ajouter la ciboulette hachée et poivrer.

L'huile d'olive

Il est démontré que l'huile d'olive est l'une des huiles alimentaires facilitant le plus la digestion des corps gras. Particularité qui lui vaut de figurer parmi les produits les plus fréquemment utilisés en cuisine. Pourtant, nombre de gens restent persuadés que l'huile d'olive se consomme surtout crue, dans l'assaisonnement des salades notamment. Or, une des principales vertus de l'huile d'olive est de pouvoir supporter des températures allant jusqu'à 230 °C – quand d'autres huiles fument dès 170 °C –, caractéristique qui permet de l'utiliser pour grillades et fritures. Mais cette huile unique possède beaucoup d'autres qualités et son usage s'avère multiple et varié. Par exemple, une seule cuillerée à soupe d'huile d'olive, versée dans votre eau de cuisson, évitera à vos pâtes de coller. De même, et en quelques heures seulement de macération, elle adoucira l'aigreur de vos oignons, rendra votre viande moins coriace ou votre poisson plus goûteux encore. Quelques gouttes suffiront à rendre vos flageolets plus digestes et vos fromages de chèvre moins secs. Toutefois, il serait opportun de posséder deux huiles différentes dans votre cuisine, l'une douce et légère, réservée aux cuissons des viandes et poissons dans lesquels elle ne pénètre pas (à l'inverse de la plupart des huiles alimentaires) et une autre, plus fruitée, voire rustique, à savourer crue avec mescluns, crudités et autres fromages frais. On recense de multiples huiles d'olive et le choix est vaste. Les meilleures sont les huiles d'olive « vierge extra » et « vierge fine » au goût irréprochable. Pour les autres, le prix suffira à vous éclairer. Cependant, certaines huiles vendues en grande surface entre quatre et huit euros le litre, peuvent se révéler excellentes. Sachez enfin que l'huile d'olive est bénéfique pour la santé. Selon des études très sérieuses, elle permettrait de lutter efficacement contre troubles gastriques et maladies cardiovasculaires, d'enrayer diabète, rhumatismes et constipation ou encore d'atténuer l'hypertension...

Ravioles de chou frisé, cèpes, foie gras et bouillon de poule

Ingrédients
(pour 4 personnes)

- 120 g de foie gras
- 5 dl de bouillon de poule
- 150 g de beurre
- 50 g de copeaux de parmesan
- 0,5 dl d'huile d'olive
- Sel
- Poivre du moulin

Pour la pâte
- 250 g de farine
- 2 œufs entiers
- 2 jaunes d'œufs
- 0,3 dl d'huile d'olive
- 1 pincée de sel

Pour le chou frisé
- 1 chou frisé
- 50 g de beurre
- 80 g d'oignons hachés
- 80 g de lardons de poitrine demi-sel
- Sel
- Poivre du moulin

Pour les cèpes
- 500 g de cèpes
- 30 g de beurre
- Sel
- Poivre du moulin

Préparation

Pour la pâte : mettre la farine, l'huile d'olive, le sel, les œufs entiers et les jaunes dans le bol d'un robot et faire tourner quelques minutes pour bien mélanger. Mettre la pâte en boule, l'enrouler dans un film alimentaire et réserver au frais durant 3 heures.

Pour le chou frisé : effeuiller le chou, ôter les côtes et blanchir les feuilles quelques minutes à l'eau bouillante salée. Les rafraîchir dans de l'eau glacée, puis égoutter. Les couper ensuite en lamelles fines et réserver. Faire fondre le beurre et y faire revenir l'oignon et les lardons quelques minutes sans coloration. Ajouter le chou et cuire vivement durant 5 minutes. Mettre le tout dans le bol du robot et mixer finement. Assaisonner, passer au tamis et réserver au frais.

Pour les cèpes : éplucher les cèpes, les laver et réserver les pieds. Couper les chapeaux en petits dés et les faire sauter dans une poêle avec le beurre jusqu'à coloration. Assaisonner et réserver au frais.

Faire chauffer le bouillon de poule dans un sautoir, ajouter les pieds de cèpes et laisser infuser durant 10 minutes. Passer à l'étamine, puis incorporer le beurre au fouet. Assaisonner et réserver au chaud.

Étaler la pâte et faire 12 cercles de 6 centimètres de diamètre et 12 cercles de 8 centimètres de diamètre. Sur les premiers cercles, disposer la purée de chou, les cèpes et un cube de foie gras. Assaisonner. À l'aide d'un pinceau trempé dans l'eau, badigeonner le contour du cercle et recouvrir de l'autre cercle. Appuyer sur le contour pour bien le refermer.

Porter de l'eau salée à ébullition, puis ajouter l'huile d'olive et plonger délicatement les ravioles durant 2 minutes. Les sortir et les mettre dans le bouillon de poule chaud, puis les rouler délicatement.

Dresser les ravioles dans une assiette creuse et parsemer de copeaux de parmesan.

Daube de marcassin à la provençale, pâtes fraîches

Ingrédients
(pour 6 personnes)

- 1,5 kg environ de gigue de marcassin
- 1 kg de pâtes fraîches
- 5 carottes
- 1 branche de céleri
- 1/4 de zeste d'orange séchée
- 300 g d'oignons
- 6 gousses d'ail
- 1 bouquet de persil
- 500 g de couenne fraîche
- Thym
- Laurier
- 1 clou de girofle
- Quelques baies de genièvre
- 1 l de vin rouge
- 1 dl d'huile d'olive
- Sel
- Poivre du moulin

Préparation

L'avant-veille, découper le marcassin en morceaux de 50 grammes et les faire mariner dans le vin rouge avec carottes, céleri, zeste d'orange, oignons, ail, persil, thym, laurier, clou de girofle et baies de genièvre. Le vin doit recouvrir totalement la viande. Réserver au frais.

Le lendemain, égoutter la viande et la garniture. Faire chauffer de l'huile d'olive dans une cocotte et rissoler la viande sur toutes ses faces afin de bien la colorer. Ajouter la garniture, puis mouiller avec le vin de la marinade, saler et poivrer. Couper la couenne en grosses lanières, l'ajouter à la viande et laisser cuire à couvert et à feu doux durant 4 heures. Retirer la garniture en fin de cuisson et réserver la viande au frais jusqu'au lendemain.

Avant de servir, réchauffer la viande pendant 1/2 heure à 1 heure sur feu doux. Rectifier l'assaisonnement.

Disposer la viande dans un plat et servir à part quelques pâtes fraîches arrosées d'un filet d'huile d'olive.

Petite astuce : pour réussir votre plat, faire mariner votre daube deux jours avant cuisson. La marinade parfumera votre viande et vice versa. Une daube étant excellente réchauffée, l'idéal est donc de la cuire la veille.

Salade de joues de bœuf d'un lendemain de pot-au-feu et os à moelle gratinés

Ingrédients
(pour 4 personnes)

- 2 joues de bœuf de 350 g pièce
- 4 os à moelle
- 4 carottes
- 2 poireaux
- 2 branches de céleri
- 2 oignons blancs
- 12 gousses d'ail
- 1 cube de bouillon de pot-au-feu
- 1 dl d'huile d'olive
- 50 cl de vinaigre de vin
- 40 g de moutarde
- 1 bouquet garni ficelé (queue de persil, vert de poireaux, thym, laurier)
- Gros sel
- Sel
- Poivre du moulin

Préparation

Faire tailler les os à moelle en forme de canon de 6 à 7 centimètres de long par le boucher. Gratter l'extérieur des os avec un couteau et les déposer dans de l'eau glacée avec du gros sel, durant 24 heures, afin d'éliminer le reste du sang.

Éplucher les carottes, les poireaux, les branches de céleri et 1 oignon. Les mettre dans une cocotte avec les joues de bœuf, les gousses d'ail entières, non épluchées, le bouquet garni et le cube de bouillon de pot-au-feu. Ajouter de l'eau à hauteur et cuire 1 heure à feu doux.

Lorsque la cuisson est terminée, enlever tous les ingrédients et faire pocher les os à moelle dans le bouillon 15 minutes environ, puis les déposer dans un plat allant au four, les saler avec le gros sel, poivrer et faire gratiner à 220 °C pendant 6 minutes.

Dans un saladier, effilocher les joues de bœuf, tailler grossièrement les carottes et le céleri. Ajouter les gousses d'ail épluchées et l'oignon restant, finement émincé. Arroser de vinaigrette préparée avec sel, poivre, persil haché, moutarde, vinaigre et huile d'olive.

Servir la salade tiède avec les os à moelle gratinés.

Tourte d'oiseaux au long bec ou au pigeon

Ingrédients
(pour 4 personnes)

- 4 bécasses (ou 4 pigeons)
- 1 pâte feuilletée de 20 cm de diamètre
- 1 pâte feuilletée de 25 cm de diamètre
- 2 feuilles de chou frisé blanchies
- 1 œuf
- 400 g de foie gras frais
- 50 g de truffes en lamelles
- 40 g d'échalotes hachées
- 40 g de persil haché
- 10 g de poivre concassé
- 1 dl de crème liquide
- 2 dl de porto rouge
- 2 dl de vin rouge
- 3 dl de fond de volaille
- 50 g de beurre
- Sel
- Poivre du moulin

Préparation

Faire préparer et désosser les bécasses par le boucher. Pour obtenir les suprêmes, lui demander également de désosser les ailes et de bien enlever la peau.

Pour la farce : hacher les cuisses et les abats, puis passer au tamis. Incorporer à la chair le blanc d'œuf, 1 décilitre de crème liquide, du sel et du poivre. Bien mélanger.

Pour la sauce : concasser la carcasse en petits morceaux. Les faire revenir et bien colorer dans un sautoir. Ajouter les échalotes hachées, les queues de persil et le poivre concassé. Déglacer avec le porto et le vin rouge. Faire réduire aux trois quarts et mouiller avec le fond de volaille. Laisser mijoter à feu doux pendant environ 20 minutes. Passer ensuite à l'étamine, puis incorporer le beurre et réserver au chaud.

Pour la tourte : disposer un cercle de pâte feuilletée de 20 centimètres de diamètre sur une feuille de papier sulfurisé, légèrement huilée. La déposer sur la plaque du four. Placer les suprêmes en les serrant bien les uns contre les autres sur la pâte feuilletée, recouvrir de la moitié de la farce, des feuilles de chou frisé et assaisonner.

Ajouter par-dessus 2 tranches de foie gras frais, sel, poivre, les truffes et enfin le reste de la farce. Recouvrir du deuxième cercle de pâte feuilletée, pincer les côtés pour bien fermer la tourte, puis la badigeonner d'un jaune d'œuf battu. Réaliser une cheminée avec un morceau de papier d'aluminium que vous aurez préalablement tourné autour d'un stylo. Faire un trou au centre du sommet de la tourte et y planter la cheminée. Cuire au four chaud 25 minutes à 210 °C.

À la sortie du four, retirer la cheminée, puis verser un quart de la sauce chaude à la place. Laisser reposer 3 minutes au chaud, puis trancher et servir avec le reste de la sauce.

Confiture d'oranges amères

Ingrédients

- 2 kg d'oranges
- Sucre semoule

Préparation

Laver les oranges. Les couper en tranches très fines en prenant soin d'enlever les pépins. Les mettre dans une marmite, les couvrir d'eau et les laisser reposer durant 24 heures.

Le lendemain, porter la marmite à ébullition et cuire durant 30 minutes, sans cesser de remuer. Laisser reposer de nouveau 24 heures.

Le troisième jour, recommencer la même opération et laisser reposer encore 24 heures.

Le quatrième jour, cuire encore 30 minutes, peser le contenu de la marmite et ajouter le même poids de sucre semoule. Cuire le tout 30 à 40 minutes. Mettre ensuite dans des pots et fermer à chaud.

Macarons

Ingrédients
(pour 40 petits macarons)

Pour la pâte
- 240 g de sucre glace
- 140 g de poudre d'amande
- 100 g de blanc d'œuf

Pour les couleurs
- Macaron chocolat : 40 g de cacao
- Macaron vanille : 1 cuillerée à café de poudre de vanille
- Macaron pistache : 6 gouttes de colorant vert
- Macaron citron : 6 gouttes de colorant jaune et 1 zeste de citron haché
- Macaron café : 1/2 cuillerée à café d'extrait de café
- Macaron framboise : 6 gouttes de colorant rouge

Préparation

Tamiser le sucre glace et la poudre d'amande. Pour les macarons au chocolat, tamiser également le cacao.

Monter les blancs en neige, puis ajouter le colorant suivant le parfum désiré.

Saupoudrer ensuite du mélange sucre glace et poudre d'amande et incorporer délicatement aux blancs. Mettre le tout dans une poche à pâtisserie et former de petits dômes sur une plaque de cuisson recouverte de papier sulfurisé (si vous préférez que la cuisson se fasse lentement, vous devrez doubler la plaque à pâtisserie). Laisser reposer à température ambiante 1/4 d'heure, afin qu'une pellicule se forme. Préchauffer votre four à 250° C et cuire les macarons durant 10 à 12 minutes à 170° C. Cinq minutes avant la fin de la cuisson, entrouvrir la porte du four.

La cuisson terminée, verser de l'eau sous le papier sulfurisé de manière à décoller les macarons, puis les laisser reposer sur une grille.

Garnir les macarons de confiture ou de crème parfumée à la ganache et reposer un deuxième macaron par-dessus.

Servir en guise de petits fours pour accompagner les desserts.

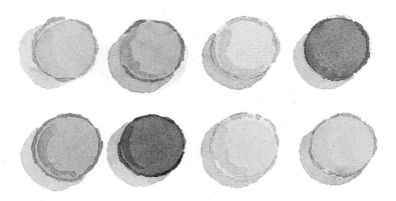

Vin d'orange

Ingrédients

- 12 oranges (9 communes et 3 amères)
- 1 l d'alcool à 40-45 degrés (grappa ou autre)
- 4 l de vin blanc sec
- 1 kg de sucre semoule

Préparation

Laver les oranges et les peler en prenant soin d'enlever le plus possible de peau blanche. Mettre les écorces dans un bocal avec l'alcool pendant 30 à 40 jours. Les transvaser ensuite dans une bonbonne avec le vin blanc et le sucre. Bien fermer et laisser macérer durant 4 à 5 mois.

Filtrer et mettre en bouteilles. Laisser vieillir un an avant dégustation, le breuvage n'en sera que meilleur.

Petite astuce : lorsqu'on met le sucre, il est important de le remuer plusieurs fois le premier jour, faute de quoi, il resterait amalgamé au fond.

Oreillettes

Ingrédients
(pour 4 personnes)

- 5 œufs
- 200 g de beurre ramolli
- 100 g de sucre semoule
- 1 sachet de levure chimique
- 2 dl de lait
- 500 g de farine tamisée
- Le zeste d'un citron
- Le zeste d'une orange
- 1 bâton de vanille
- 100 g de sucre glace

Préparation

Dans un saladier, mélanger les œufs, le beurre, le sucre semoule, la levure et le lait (de préférence pas froid). Incorporer la farine tamisée en pluie en remuant avec une spatule en bois. Ajouter les zestes d'agrumes et la gousse de vanille préalablement fendue en deux.

Laisser reposer la pâte en la couvrant d'un linge humide et en la plaçant au frais durant 3 heures.

Étaler ensuite la pâte finement, puis couper des losanges et les faire frire dans une friteuse à 220 °C pendant 1 minute. Égoutter les oreillettes sur du papier absorbant et les saupoudrer de sucre glace.

PETIT LEXIQUE CULINAIRE

Blanchir : passer un aliment à l'eau bouillante avant de l'apprêter, afin de le dessaler, d'en faciliter l'épluchage ou d'en atténuer l'amertume.

Blondir : faire revenir un aliment dans un corps gras pour le colorer légèrement.

Chemiser : mettre du sucre ou de la farine dans un moule préalablement beurré. Pour une viande cuite, chemiser signifie la napper d'une gelée.

Confire : cuire un aliment, longtemps et à feu doux dans une substance telle que la graisse ou l'huile.

Déglacer : après cuisson, dissoudre les sucs caramélisés au fond d'un récipient, en les mouillant d'un peu de liquide (eau, vin, alcool...).

Dégorger : faire tremper dans de l'eau froide une viande ou un poisson afin d'en chasser les impuretés.

Émulsionner ou Émulsifier : battre énergiquement un liquide au mixeur ou au fouet, afin de le monter.

Étouffée (à l') : cuire viandes ou légumes, à couvert et à feu doux, sans y adjoindre le moindre liquide.

Étuvée (à l') : même mode de cuisson qu'à l'étouffée, mais avec une légère adjonction de liquide.

Fumet de poisson : concassée de parures de poissons (déchets, arêtes, têtes) destinée à mouiller un mets ou à réaliser une crème, un velouté ou une sauce.

Monder : plonger un légume ou un fruit quelques secondes dans une eau bouillante, afin d'en ôter plus facilement la peau.

Monter : battre les ingrédients d'une préparation pour en augmenter la consistance ou le volume (blancs en neige, mayonnaise, aïoli...).

Pocher : faire cuire un aliment dans un liquide qui ne doit pas bouillir (pour les œufs, il faut ôter la coquille et faire frémir le liquide).

Réserver : mettre une préparation de côté avant de l'utiliser.

Revenir : faire colorer un aliment dans un corps gras en début de cuisson.

Saisir : cuire rapidement un ingrédient dans un bouillon ou dans une matière grasse.

Suer : à feu doux et dans un récipient fermé, faire perdre son jus à une viande ou son eau de végétation à un légume.

Index des recettes

Entrées

Plats

Desserts

Remerciements

Les auteurs remercient ici Messieurs René Coll (Société DPL) ;
Philippe Dessoullière ; Monsieur et Madame Philippe et Chrystel Cavator
(boutique « La Cueuva ») ; ainsi que toute l'équipe du restaurant *Le Sud*
et plus particulièrement Anthony Lopez, chef de cuisine.

Achevé d'imprimer en mars 2003
sur les presses de l'Imprimerie Canale à Turin, Italie
Dépôt légal : avril 2003
ISBN : 2-7006-0282-X